LONDYŃSKI BULWAR

Ken Bruen

LONDYŃSKI BULWAR

Przełożyła
Magdalena Koziej

Tytuł oryginału: *London Boulevard*

Dział handlowy: tel. 22 360 38 41–42
faks 22 360 38 49

Sprzedaż wysyłkowa:
Dział Obsługi Klienta, tel. 22 607 02 62

Redakcja: Małgorzata Grudnik-Zwolińska
Korekta: Jadwiga Piller
Redakcja techniczna: Mariusz Teler
Redaktor prowadząca serię: Agnieszka Koszałka

ISBN: 978-83-62343-12-6

Skład i łamanie: Katka, Warszawa
Druk: Perfekt, Warszawa

Książkę dedykuję:

USA

Bernadette Kennedy

Irlandia

Dr Endzie O'Byrne

CZĘŚĆ PIERWSZA

Przedstawienie

Oto czego nauczyłem się w więzieniu: kompulsja polega na tym, że ciągle coś robisz, obsesja na tym, że wciąż o czymś myślisz.

Oczywiście nauczyłem się tam też innych rzeczy. Nie tak jednoznacznych. Nie tak jasno określonych.

W dniu, w którym miałem zostać zwolniony, naczelnik więzienia wezwał mnie na rozmowę.

Pochylony nad biurkiem, kazał mi czekać. Głowa nad papierami, wzór pracowitości. Miał małą łysinkę, jak książę Karol. Poprawiła mi samopoczucie. Skoncentrowałem się na niej. Wreszcie unosi głowę, mówi:

– Mitchell?

– Tak jest.

Umiałem grać w tę grę. Jeden papieros dzielił mnie od wolności. Nie zamierzałem zachowywać się lekkomyślnie. Miał północny akcent. Już wyszlifowany, ale wciąż zajeżdżający puddingiem z Yorkshire i całym tym zacnym gównem.

– Ile u nas byłeś? – pyta.

Jakby nie wiedział.

– Trzy lata, panie naczelniku.

Chrząknął, jak gdyby nie do końca mi uwierzył. Przerzucił moje papiery i oznajmił:

– Nie skorzystałeś ze zwolnienia warunkowego.

– Chciałem spłacić swój dług w całości, proszę pana.

Klawisz stojący za mną parsknął. Po raz pierwszy naczelnik skierował wzrok wprost na mnie. Spojrzeliśmy sobie w oczy.

– Wiesz, kim są recydywiści?

– Słucham?

– To ludzie, którzy powtórnie popełniają przestępstwa, tacy, co mają obsesję na punkcie więzienia.

Uśmiechnąłem się pod nosem.

– Sądzę, że myli pan obsesję z kompulsją – powiedziałem i wyjaśniłem różnicę.

Podstemplował moje papiery.

– Wrócisz tu – oświadczył.

Miałem ochotę odpowiedzieć: „Tylko jak dadzą powtórki w telewizji", ale uznałem, że szkoda na niego tekstu Arniego z *Terminatora*. Przy bramie klawisz zauważył:

– To niezbyt mądre, żeby mu pyskować.

Unosząc prawą dłoń, spytałem:

– A cóż innego miałem do zaoferowania?

Przed więzieniem nie było żadnej bryki. Że się tak po amerykańsku wyrażę.

Stanąłem tam, czekając na podwózkę. Nie oglądałem się za siebie. Skoro taki jest przesąd, niech sobie będzie. Stojąc na Caledonian Road, zastanawiałem się, czy wyglądam jak więzień, były więzień.

Niebudzący zaufania.

Tak, podejrzany. To też.

Miałem czterdzieści pięć lat. Metr siedemdziesiąt osiem wzrostu, ważyłem osiemdziesiąt jeden kilo. Jednak byłem w dobrej formie. Dawałem czadu na siłowni i sporo wyciskałem na ławeczce ze sztangą. Przedzierałem się za tę granicę, za którą uwalniają się endorfiny. Naturalny haj. Cholera, zawsze człowiek tego potrzebuje. Spocić się do granic możliwości. Włosy miałem białe, lecz nadal gęste. Oczy ciemne, i to nie tylko z wierzchu. Nos, krzywo zrośnięty po złamaniu, prawie rekompensowały szczodre usta.

Szczodre!

Uwielbiam to określenie. Usłyszałem je, gdy miałem dwadzieścia parę lat, od pewnej kobiety. Straciłem ją, ale przywiązałem się do tego przymiotnika. Ocal, ile się da.

Podjechała furgonetka, rozległ się klakson. Otworzyły się drzwi i wysiadł Norton. Staliśmy przez chwilę. Czy jest moim przyjacielem?

Nie wiem, jednak zjawił się tam. Był więc dostatecznie przyjacielski.

– Cześć – rzuciłem.

Uśmiechnął się szeroko, podszedł i mnie uściskał. Po prostu dwóch facetów wita się pod więzieniem Jej Królewskiej Mości. Miałem nadzieję, że naczelnik patrzy.

Norton jest Irlandczykiem i trudno go przejrzeć. Czyż oni wszyscy nie są właśnie tacy? Za gadką-szmatką jeszcze tak wiele się kryje. Ma rude włosy, ziemistą cerę, budowę szczwanego charta.

– Rany, Mitch, jak się masz?

– Wypuszczony.

Przyjął to do wiadomości, a potem klepnął mnie w ramię i odparł:

– Wypuszczony… a to dobre. Podoba mi się… Dobra, spadajmy stąd. Więzienie działa mi na nerwy.

Wsiedliśmy do furgonetki i podał mi butelkę irlandzkiej whisky Black Bush. Była obwiązana zieloną wstążeczką.

– Dzięki, Billy – powiedziałem.

Wyglądał, jakby trochę się zawstydził, rzekł:

– Nie ma sprawy... to za twoje wyjście... wielkie oblewanie będzie wieczorem... masz... – Wyciągnął paczkę dunhilli. Tych luksusowych, czerwonych. – Pomyślałem, że marzysz o czymś z prawdziwego zdarzenia.

Miałem ze sobą owiniętą w brązowy papier paczkę, jaką ci dają, kiedy wychodzisz. Gdy Norton uruchomił silnik, powiedziałem:

– Zaczekaj chwilę. – I wyrzuciłem paczkę.

– Co to było?

– Moja przeszłość. – Otworzyłem busha, pociągnąłem długi, święty łyk. Paliło. Ech, paliło jak zawsze. Podałem mu butelkę. Pokręcił głową.

– Nie, teraz prowadzę.

Rozbawiło mnie to, bo był już nieźle nawalony. Zawsze lubił sobie strzelić mocne piwko. Gdy jechaliśmy na południe, cały czas nadawał o tym przyjęciu. Wyłączyłem się.

Tak naprawdę miałem go już dość.

– Powiozę cię trasą widokową – powiedział Norton.

– Jak chcesz.

Czułem kopa po whisky. Mam po niej różne gówniane jazdy, ale głównie chodzi o to, że robię się nieprzewidywalny. Sam nie potrafię zgadnąć, co będę wyprawiał.

Skręcaliśmy z Marble Arch i oczywiście stanęliśmy na światłach. Jakiś koleś pojawił się przed szybą i zaczął wycierać ją brudną szmatą.

– Te pieprzone wycieraczki są wszędzie! – wrzasnął Norton.

Koleś wcale się nie starał. Dwa szybkie pociągnięcia szmatą zostawiły brudne smugi na szybie. Potem zjawił się przy moim oknie i zażądał:

– Cztery funciki, stary.

Zaśmiałem się, opuściłem szybę i odparłem:

– Musisz sobie poszukać innej roboty, koleżko.

Długie, tłuste włosy sięgały mu do ramion. Miał wychudzoną twarz i oczy, jakie widywałem nieraz na dziedzińcu więzienia. Oczy najniższego w hierarchii drapieżnika. Odchylił głowę i splunął.

– Rany – mruknął Norton.

Nie ruszyłem się z miejsca, tylko spytałem:

– Masz łyżkę do opon?

Norton pokręcił głową.

– Mitch, rany, nie.

– Okej – odparłem.

I wysiadłem.

Facet był zdziwiony, ale się nie cofnął. Złapałem go za rękę i złamałem ją na swoim kolanie. Wsiadłem do furgonetki, światła się zmieniły. Norton gwałtownie dodał gazu, krzycząc:

– Mitch, ty pojebie! Wyszedłeś... ile? Dziesięć minut temu i już ci odwala?

– Wcale mi nie odwaliło, Billy.

– Przecież złamałeś gościowi rękę!

– Gdyby mi odwaliło, skręciłbym mu kark!

– Żartujesz... prawda?

– A jak myślisz?

– Zdziwisz się, kiedy zobaczysz, jakie mieszkanie ci znalazłem – powiedział Norton.

– Byleby blisko Brixton.

– Jest w Clapham Common. Kiedy byłeś… nieobecny, zrobiło się modne.

– Cholera.

– Nie, jest okej… Chodzi o to, że pewien pisarz wpakował się w niezłe gówno z pożyczkodawcami i musiał dać nogę. Zostawił wszystko: ciuchy, książki… jesteś urządzony.

– Czy Joe nadal stoi przy Oval?

– Kto?

– Sprzedawca „Big Issue".

– Nie znam go.

Podjeżdżaliśmy do Oval Ground.

– Jest tam. Podjedź.

– Mitch… chcesz kupić teraz „Big Issue"?

Wysiadłem, podszedłem do niego. Joe się nie zmienił. Był niechlujny, brudny, wesoły.

– Cześć, Joe – powiedziałem.

– Mitchell… Wielkie nieba, słyszałem, że byłeś w kiciu.

Podałem mu piątaka.

– Daj nam jeden.

Nie wspomnieliśmy o reszcie.

– Zrobili ci tam krzywdę, Mitch?

– Niewielką.

– Zuch. Masz fajkę?

Dałem mu paczkę dunhilli. Obejrzał je.

– Szpan – powiedział.

– Dla ciebie wszystko, co najlepsze, Joe.

– Nie załapałeś się na World Cup.

I mnóstwo innych rzeczy.

– Jak było? – spytałem.

– Nie wygraliśmy.

– Och.

– Zawsze zostaje nam jeszcze krykiet.

– No jasne.

Trzy lata w więzieniu, tracisz
czas
współczucie
zdolność dziwienia się.

Byłem niemal zaskoczony, gdy zobaczyłem to mieszkanie. Zajmowało cały parter dwupiętrowego domu. Pięknie umeblowane, pastelowe, mnóstwo książek. Norton stanął z boku i obserwował moją reakcję.

– O Jezu – powiedziałem.

– To jest coś, no nie? Chodź, rozejrzyj się.

Zaprowadził mnie do sypialni. Podwójne łóżko mosiężne. Pootwierał szafy, były napakowane ciuchami. Tonem sprzedawcy Norton wyrecytował:

– Oto twój
Gucci

Armani
Calvin Klein
i inni dranie, których nie potrafię nawet wymówić. Bierz, co chcesz, rozmiary od emki do elki.

– Może być emka.

Wróciliśmy do salonu, Norton otworzył barek. Też pełny.

– Na co masz ochotę? – spytał.

– Piwo.

Otworzył dwie butelki, podał mi jedną.

– Bez szklanek? – spytałem.

– Teraz już się nie pije ze szklanek.

– Aha.

– *Sláinte*, Mitch, i witaj w domu.

Wypiliśmy. Piwo smakowało świetnie. Powiodłem butelką wokół i spytałem:

– Czy temu kolesiowi aż tak bardzo się spieszyło, że zostawił to wszystko?

– O tak, spieszyło mu się bardzo.

– Lichwiarz nie chciał nic z tego uszczknąć?

– Już sobie to i owo wybrałem – odparł z uśmiechem Norton.

Dopiero po minucie zajarzyłem. To przez piwo.

– Więc to ty jesteś pożyczkodawcą?

Wielki uśmiech w odpowiedzi. Był dumny, odczekał chwilę, po czym oświadczył:

– Pracuję dla firmy – i witamy cię na pokładzie.

– Nie sądzę, Billy...

– Hej, oczywiście nie od razu – zapewnił wylewnie. – Daj sobie trochę czasu, zrelaksuj się.

Zrelaksuj się.

Olałem to, powiedziałem:

– Nie wiem, jak ci dziękować, Billy. Tu jest niesamowicie.

– Nie ma sprawy. Jesteśmy kumplami, co nie?

– Jasne.

– Dobra, muszę lecieć. Przyjęcie jest w Greyhound o ósmej. Nie spóźnij się.

– Przyjdę. Jeszcze raz dzięki.

Briony to przypadek beznadziejny. Kompletna wariatka. Znałem parę nieźle stukniętych babek. Cholera, nawet z takimi kręciłem, ale w porównaniu z Briony to były okazy zdrowia psychicznego. Mąż Briony zmarł przed pięciu laty. Nie ma tragedii, bo był z niego niezły dupek. Tragedią jest to, że Briony nie wierzy, iż odszedł. Wciąż widuje go na ulicy i, co gorsza, rozmawia z nim przez telefon. Jak wszystkie prawdziwe czubki, miewa przebłyski jasności umysłu. Chwile, gdy wydaje się

rozsądna

gada do rzeczy

normalnie funkcjonuje

...a potem następuje cios. Powala cię jakimś obłędnym wybrykiem.

W dodatku ma nieodparty, zniewalający urok. Wygląda jak Judy Davis, zwłaszcza gdy ta grała razem z Liamem Neesonem w filmie Woody'ego Allena. Jej hobby to kradzież sklepowa. Nie wiem, dlaczego nigdy jej nie przyłapano, bo kradnie z niewiarygodną brawurą. Bri jest moją siostrą. Zadzwoniłem do niej. Odebrała po pierwszym dzwonku.

– Frank? – spytała od razu.

Westchnąłem. Frank to jej mąż.

– Mitchell – odparłem.

– Mitch... ojej, Mitch... wyszedłeś.

– Właśnie dziś.

– Och, tak się cieszę. Mam ci tyle do opowiedzenia. Może zrobię ci kolację? Jesteś głodny? Głodzili cię tam?

Miałem ochotę się roześmiać albo rozpłakać.

– Nie... nie, wszystko ze mną w porządku. Słuchaj, może spotkamy się jutro?

Milczenie.

– Bri... jesteś tam?

– Nie chcesz się ze mną zobaczyć już pierwszego wieczoru? Nienawidzisz mnie?

Wbrew rozsądkowi powiedziałem jej o przyjęciu. Natychmiast się rozchmurzyła.

– Przyprowadzę Franka – powiedziała.

Miałem ochotę wrzasnąć: „Ty walnięta suko, obudź się wreszcie!".

– Dobra – odparłem.

– Och, Mitch, tak się cieszę. Przyniosę ci prezent.

O rany.

– Jak chcesz.

– Mitch... mogę cię o coś spytać?

– Hm... jasne.

– Czy padłeś ofiarą gwałtu zbiorowego? Zgwałcili się?

– Bri, muszę lecieć. Do zobaczenia wieczorem.

– Pa, kochanie.

Odłożyłem słuchawkę. Czułem się wypompowany.

Przejrzałem zawartość szafy. Po trzech latach chodzenia w dżinsach i koszuli w paski była niczym sezam.

Najpierw wyciągnąłem stos łachów Tommy'ego Hilfigera. Włożyłem je do torby na śmieci. Workowate gówna, może Oxfam je komuś rozda. Znalazłem skórzaną kurtkę od Gucciego, ładnie podniszczoną. Wziąłem ją. Było mnóstwo białych T-shirtów od Hennesa: w stylu tych, które Brando unieśmiertelnił w filmie *Na nabrzeżach*. Faceci w więzieniu zabiliby za mięsisty amerykański T-shirt.

Brak dżinsów.

Nie ma sprawy.

Płócienne spodnie od Gapa, kilka par. Marynarka z French Connection i bluzy sportowe od Benettona.

Nie wiem, czy ten facet miał gust, ale na pewno miał pieniądze. No cóż, lichwiarskie pieniądze.

W szafie były też kurtka firmy Barbour i płaszcz przeciwdeszczowy London Fog. A niech to, w końcu długo siedziałem w kiciu. Dziwne, lecz nie znalazłem żadnych butów. Ale czy to powód do skargi? Nie jestem porąbany. Przecież miałem buty.

Wziąłem gorący prysznic i użyłem do wytarcia się trzech ręczników. Były podwędzone z Holiday Inn, miękkie i przyjemne. Miałem piekielną ochotę na kolejne piwo, jednak wiedziałem, że lepiej przyhamować. Wieczorem zapowiadało się niezłe chlanie i mogło to być niebezpieczne. Musiałem zjawić się tam przynajmniej w miarę trzeźwy. Rzuciłem okiem na książki, cały jeden regał zajmowały kryminały. Byli tam

Elmore Leonard
James Sallis
Charles Willeford
John Harvey
Jim Thompson
Andrew Vachss.

A tylko przeleciałem wzrokiem tytuły. Mogłem w ogóle nie wychodzić. Po prostu zanurzyć się w zbrodniach.

Włożyłem T-shirt, płócienne spodnie i skórzaną kurtkę. Przejrzałem się w lustrze. Można było mnie wziąć za pracownika technicznego na trasie koncertowej Phila Collinsa. Pomyślałem: Gdybym miał forsę, byłbym wręcz niebezpieczny.

Gdy szedłem Clapham Common, uśmiechnęła się do mnie jakaś kobieta. Wiedziałem, że zawdzięczam to kurtce. W Old Town był świetny zajazd przydrożny. Okazało się, że nadal tam jest. Taka knajpa, że jak nie ma czegoś na stole, to nie ma też w karcie.

Dla byłego więźnia samotny posiłek to jedna z największych przyjemności. Zająłem boks i napawałem się świadomością, że mam go na wyłączność. Wiedziałem dokładnie, co zamówię.

Koszmar węglowodanowy, podświetlona neonowo czarna lista medycznych wykroczeń.

Mianowicie:

Dwie kiełbaski

Bekon

Smażone pomidory

Jajka

Kaszanka

Tost

Dzbanek parzonej herbaty

Och, tak.

W boksie obok siedział jakiś staruszek. Przyglądał mi się. Wyglądał na gościa „z charakterem". Pasowałoby do niego imię Alfred.

Zapewne wszyscy za nim przepadali. Miał własny kąt w pubie i osobisty kufel cynowy z przykrywką. Załaził za skórę każdemu nowemu barmanowi.

Zjawiło się moje jedzenie, a on powiedział:

– To jedzenie, synu... wiesz, skąd się bierze?

Nie podnosząc głowy, odparłem:

– Coś mi mówi, że zaraz mi to objaśnisz.

Odpowiedź go zaskoczyła, ale nie aż tak, by zamilkł.

– Tacy duzi faceci jak ty powinni wsuwać ziemniaki.

Podniosłem głowę, spojrzałem na niego i powiedziałem:

– Tacy starzy faceci jak ty powinni pilnować własnego nosa.

Zamknął się.

Starałem się nie pochłaniać żarłocznie jedzenia. Teraz, gdy byłem na wolności, musiałem się na nowo przystosować. Gdy skończyłem, poszedłem zapłacić. Wychodząc, zatrzymałem się przy Alfredzie.

– Miło się z tobą gawędziło – powiedziałem.

Ruszyłem Streatham w stronę banku. Nie wiedziałem, ile mam pieniędzy, bo do więzienia nie przesyłają wyciągów bankowych.

Powinni posyłać tam bankierów. Wypisałem zlecenie wypłaty i ustawiłem się w kolejce. Posuwała się wolno, ale ja wiem, jak zabijać czas.

Kasjerka była przyjazna w ten nieobecny sposób związany z forsą. Podałem jej zlecenie. Zajrzała do komputera.

– Och – powiedziała.

Nie odezwałem się ani słowem.

– To uśpiony rachunek.

– Już nie.

Zmierzyła mnie wzrokiem. Skórzana kurtka nie przełamała lodów.

– Muszę sprawdzić – oświadczyła.

– Niech pani sprawdza.

Facet za mną westchnął.

– Długo to potrwa? – spytał.

– Nie mam pojęcia – odparłem, obdarzając go bankowym uśmiechem.

Kasjerka wróciła z garniturowcem. Pan Operatywny powiedział:

– Panie Mitchell, czy mógłby pan podejść do mego biurka?

Mogłem. Usiadłem i spojrzałem na blat. Stała na nim tabliczka z napisem:

NAPRAWDĘ NAM ZALEŻY

Wyczyniał przez chwilę jakieś bankowe ceregiele, a potem oświadczył:

– Panie Mitchell, ten rachunek był przez trzy lata uśpiony.

– Czy to niezgodne z prawem?

Zbiłem go z tropu. Opanował się i oświadczył:

– Och, nie... to jest... zobaczmy... wraz z odsetkami ma pan na koncie tysiąc dwieście funtów.

Czekałem.

– Rozumiem, że chce pan aktywować konto?

– Nie.

– Panie Mitchell, czy mógłbym zasugerować powściągliwość? Mamy bardzo atrakcyjne oferty dotyczące rachunków oszczędnościowych.

– Dajcie mi moje pieniądze.

– Hm... oczywiście. Chce pan zlikwidować rachunek?

– Zostawię na nim funta, bo tak wam przecież zależy.

Dostałem swoją forsę, ale bez ciepłego uścisku dłoni i serdecznego pożegnania.

Należałoby zapytać, jak dalece naprawdę im zależy.

Czas na balangę. Zdrzemnąłem się i gwałtownie przebudziłem. Serce mi waliło, pot spływał po plecach. Nie dlatego, że myślałem, iż jestem wciąż w więzieniu, lecz dlatego, że wiedziałem, że wyszedłem. Kolesie w kiciu mnie ostrzegali: „Jak człowiek wyjdzie, to kona ze strachu. Pewnie dlatego tylu wraca".

– Kurwa, za nic tam nie wrócę! – wrzasnąłem.

Zrobiłem sto przysiadów, sto pompek i poczułem, że panika ustępuje.

W kuchni było mnóstwo zapasów.

Ale za owsiankę serdecznie dziękuję. Wypiłem sok pomarańczowy i zjadłem spalonego tosta. Była mikrofalówka, więc zrobiłem sobie szybko kawę. Miała gówniany smak, a właśnie do takiego przywykłem. Wziąłem prysznic i darowałem sobie golenie. Niech zostanie ten trzydniowy zarost.

Co byłoby najgorsze?

Gdybym wyglądał jak ojciec George'a Michaela.

Spryskałem się dezodorantem od Calvina Kleina. Na etykiecie widniał napis BEZ ALKOHOLU. Więc nie ma sensu brać łyka.

Usiadłem na chwilę i skręciłem papierosa. Miałem to obcykane. Potrafiłem zrobić skręta jedną ręką. Gdyby udało mi się zapalić zapałkę o zęby, byłby to pełny sukces.

Przejrzałem zasoby muzyczne. O dziwo, choć miejsce było takie wypasione, facet nie przeszedł rewolucji CD. Miał tylko płyty i kasety. Dla mnie spoko.

Włączyłem Trishę Yearwood. Kawałek nosił tytuł *Love Wouldn't Lie to Me.*

Przesłuchałem go dwa razy.

Pochodzę z południowo-wschodniego Londynu. My nie używamy takich słów, jak „piękno", chyba że chodzi o samochody albo piłkę nożną. A i to tylko wtedy, gdy się jest wśród swoich.

Ta piosenka była piękna. Poruszyła we mnie takie uczucia, jak

tęsknota

poczucie straty

żal.

Cholera, niedługo będę tęsknił za kobietami, których nigdy nie spotkałem. Może chodzi o „bycie po czterdziestce".

Otrząsnąłem się, czas się zabawić. Włożyłem płócienne spodnie od Gapa, bardzo ciasne w pasie, ale co tam, jak nie będę oddychał, da się wytrzymać. Do tego biały T-shirt i marynarka. Wyglądałem szykownie.

Jak magnes na początkujących rabusiów.

Płyta wciąż jeszcze grała, a Trisha śpiewała w czarownym duecie z Garthem Brooksem.

Musiałem to wyłączyć.

Co tu dużo gadać, przez muzykę można mieć różne dziwne odjazdy.

To, co ci się zdaje nieważnym, odosobnionym incydentem, uruchamia ciąg zdarzeń, jakiego nigdy byś się nie spodziewał. Jesteś przekonany, że dokonujesz jakichś wyborów, a tymczasem dopasowujesz tylko elementy z góry określonej całości.

Głębokie, nie?

Pojechałem metrem do Oval. Northern Line była w całej swej irytującej krasie. Dwóch niechlujnych artystów ulicznych masakrowało *The Streets of London*. Rzuciłem im trochę forsy w nadziei, że przestaną.

Nie przestali.

Gdy tylko skończyli, zaczęli od nowa. Po wyjściu z metra natknąłem się na Joego z „Big Issue".

– Chcesz iść na przyjęcie, Joe? – spytałem.

– Ja już jestem na przyjęciu, Mitch.

Trudno z tym dyskutować.

Pod katedrę św. Marka znajdującą się po drugiej stronie ulicy podjechał aston martin. Wysiadła z niego młoda kobieta. Spod drzew przy kościele wyłoniło się dwóch sępów. To nie byli bezdomni, raczej tacy, których Andrew Vachss nazywa mętami, pijawkami. Przyczepili się do niej. Zastanawiałem się, czy się w to mieszać. Nie chciałem zniszczyć sobie marynarki.

– Rusz się, Mitch – powiedział Joe.

Przeszedłem na drugą stronę ulicy. Urządzili miejską zasadzkę. Jeden z przodu zasuwa jakąś gadkę, drugi z tyłu szykuje się do ciosu.

– Ej, wy tam! – krzyknąłem.

Cała trójka obejrzała się na mnie. Napastnicy mieli po dwadzieścia parę lat, byli biali i paskudni.

– Czego chcesz, palancie? – spytał pierwszy.

– Spierdalaj, gnoju – dodał drugi.

Z bliska zobaczyłem, że to kobieta.

– Zostawcie panią w spokoju – powiedziałem.

Facet spojrzał na marynarkę, źle mnie ocenił, podszedł bliżej.

– Bo co mi zrobisz, chujku?

– To – odparłem i dźgnąłem go palcem wskazującym prawej ręki w oko. To klasyczny numer na spacerniaku. Gdy się mocno dziabnie, można wyłupić gałkę oczną.

Tym razem było lekko. Jednak cholernie go zabolało. Podszedłem do jego wspólniczki.

– Złamię ci nos – oświadczyłem.

Dała nogę.

Kobieta, niedoszła ofiara, gapiła się na mnie bez słowa.

– Kiepskie miejsce do parkowania – zauważyłem.

Przeszedłem z powrotem na drugą stronę ulicy i doleciała mnie muzyka z Greyhounda.

Modliłem się, żeby nie było to *The Streets of London*.

W pubie tłum. Na transparencie wiszącym nad barem napis:

WITAJ W DOMU, MITCH

Norton, w garniturze od Armaniego, przywitał mnie serdecznie.

– Proszę, to rewolwer – powiedział.
– Co?
– Taki koktajl.
– Co w nim jest?
– Tylko black bush, trochę cointreau i ginger ale.
– Dzięki, Billy, ale wolę duże piwo.
Różni bandyci klasy B podchodzili, by uścisnąć mi rękę. Bandyci klasy A siedzieli i czekali, aż ja podejdę do nich.
Zrobiłem to.
Przyjęcie należało do tych, które Dominick Dunne nazywa „parzeniem się szczurów". Za dużo ludzi. Obiecywano mi różne prace i często powtarzało się zdanie „zadzwoń do mnie". Zauważyłem Tommy'ego Logana, dobrze się zapowiadającego barona narkotykowego.
– Tommy, mogę zamienić z tobą słowo? – spytałem.
– Jasne, synu.
Był dwa razy młodszy ode mnie.
– Nieźle się trzymasz – dodał.
– Ale czego?
Zaśmialiśmy się grzecznościowo.
– Chcę cię prosić o przysługę, Tommy.
Pchnął mnie na koniec baru. Z dala od uszu, a nawet zasięgu innych. Wziąłem głęboki oddech i powiedziałem:
– Potrzebne mi prochy.
Z zawodowych względów Tommy nie okazywał, co czuje ani co myśli. Ukrywając zdziwienie, powiedział:
– Nie sądziłem, że się kłujesz.
– Potrzebuję na jeden raz, dla kumpla.
– Rany, Mitch, przecież to jest haczyk… na jeden raz.
Zaraz palnie mi wykład. Przeszedłem od razu do rzeczy.

– Możesz to zrobić? – spytałem. – Potrzebny mi jest też sprzęt... strzykawka i tak dalej.

– Jasne, załatwię ci to.

Pokręcił głową.

– Lubię cię, Mitch, więc powiem tylko: spokojnie.

– Iris DeMent śpiewa piosenkę pod tytułem *Easy*.

– Kto?

Przyszła Briony, która wyglądała jak olśniewająca bezdomna. Miała na sobie jakąś designerską torbę na śmieci. Uściskała mnie mocno i spytała:

– Podoba ci się moja sukienka?

– Hm...

– Ukradłam ją ze sklepu Vivienne Westwood.

Nim zdążyłem odpowiedzieć, spytała:

– Mitch, chcesz glocka?

– Właśnie zrezygnowałem z rewolweru.

Wyglądała na rozczarowaną.

– To kaliber dziewięć.

– Jezu, Bri, ty mówisz poważnie.

Sięgnęła do torebki.

– Pokażę ci.

Złapałem ją za rękę.

– Rany, nie wyciągaj pistoletu w tym tłumie – poprosiłem. – Wezmę go później, dobrze?

– Dobrze, Mitch.

Norton zawołał:

– Bri, czego się napijesz?

– Harveya wallbangera.

Do pubu weszła kobieta. Pani od astona martina.

– Przepraszam – powiedziałem do Bri.

– Frank przyjdzie później, Mitch.

Podszedłem do tej kobiety.

– Witam ponownie. – Omal nie podskoczyła, ale szybko się opanowała.

– Nie zdążyłam panu podziękować.

– Cieszę się, że mogłem pomóc. Czy przyszła tu pani za mną?

– Boże, nie. Chodzi o artykuł.

Poczułem ukłucie rozczarowania.

– Jest pani dziennikarką?

– Tak, każde spotkanie bandytów z południowo-wschodniego Londynu to gorący temat.

Rzuciła okiem na bar. Stało tam kilku ponurych facetów pogrążonych w rozmowie. Emanowali zagrożeniem.

– Ci wyglądają na paskudnych kolesi.

– Ma pani rację, to policjanci.

– Poważnie? – spytała ze śmiechem.

– Napije się pani czegoś?

– Wody mineralnej. Mów mi Sarah.

– Mitch.

Kusiło mnie, by doprawić jej wodę alkoholem, żeby się trochę wyluzowała. Potem postanowiłem nie ingerować w bieg zdarzeń. Upiła łyk i powiedziała:

– Przyjęcie jest chyba na cześć jakiegoś bandyty, który właśnie wyszedł z więzienia.

– To właśnie ja.

– Och.

Wypiłem trochę piwa.

– Nie jestem kryminalistą. Jestem po prostu bezrobotny.

Przetrawiła tę informację, a potem spytała:

– A czym się zajmujesz oprócz ratowania kobiet?

– Mogę robić wszystko.

– Złota rączka, tak? – Zastanawiała się przez chwilę. – Muszę coś sprawdzić. Masz telefon?

Podałem jej numer.

– Nie obawiasz się polecać byłego więźnia? – spytałem.

– Jeśli dostaniesz tę pracę, sam będziesz się musiał mieć na baczności.

Zaśmiałem się, nie biorąc jej słów na serio.

To był pierwszy z licznych błędów w ocenie sytuacji.

Sarah odeszła, pewnie po to, by zbierać materiał do artykułu. Później podszedł do mnie Tommy Logan i wetknął mi paczuszkę.

– Masz u mnie dług wdzięczności, Tommy – powiedziałem.

Dorwała mnie Bri.

– Mitch, właśnie poznałam boskiego młodzieńca.

– Aha.

Trzymała za rękę jakiegoś punka. Miał z dziewiętnaście, może dwadzieścia lat. Wyglądał jak chory David Beckham, lecz na jego ustach igrał obowiązkowy uśmieszek niedoszłego gangstera.

– Joł, bracie – rzucił.

Jeśli nie jesteś czarny, właściwie nie ma na to dobrej odpowiedzi. Chyba że trzepnąć takiego w łeb, ale nie byłem w nastroju.

– Mitch, powiedziałam mu, że weźmiesz go pod swoje skrzydła.

– Nie sądzę.

Wyglądała na autentycznie zdziwioną.

– Nie podoba ci się?

– Bri, nie znam go i wcale nie chcę poznać, więc daj z tym spokój.

Zniknęła w tłumie. Pokręciłem się jeszcze trochę wśród ludzi, aż wreszcie uznałem, że mam dość. Zauważyłem Nortona i powiedziałem:

– Będę się zbierać, Billy.

– Co? Już teraz?

– Przyzwyczaiłem się kłaść wcześnie.

– Dobra... słuchaj, co do pracy...

– Lichwa?

– To nie jest tak, jak myślisz. Musiałbyś tylko przejść się gdzieś ze mną raz, może dwa razy w tygodniu.

– Billy...

– Nie, posłuchaj... to mieszkanie, w którym jesteś, ciuchy – nie muszę ci mówić, że nie ma nic za darmo.

No cóż, to tyle, jeśli chodzi o wszelkie kiepskie zasady. Chciałem mieć mieszkanie, ciuchy, życie.

– Kiedy? – spytałem.

– Może być w środę? Wpadnę po ciebie około południa.

– Południa?

– Taa, nasi klienci to nie ranne ptaszki. Dlatego te głupie gnojki są zawsze bez forsy.

Jak powiedział Jack Nicholson w *Czułych słówkach*, „prawie mi się udało wyjść bez szwanku".

Byłem już przy drzwiach, gdy Tommy Logan mnie zawołał i powiedział:

– Na tyłach knajpy jest draka.

– Gówno mnie to obchodzi.

– A powinno. Chodzi o twoją siostrę.

Przez chwilę miałem ochotę to olać.

– Kurwa – mruknąłem, spluwając, i poszedłem na tyły knajpy.

Minąłem ułożone w stos skrzynki na piwo, puste beczułki i wyszedłem na podwórko. Punk stał przyparty do muru, miał głęboką ranę na policzku. Bri trzymała glocka przy jego twarzy.

– Bri… to ja, Mitch – powiedziałem.

Nie poruszając się, wyjaśniła:

– Chciał mi włożyć swojego do buzi.

Podszedłem bliżej.

– Myślałem, że ten pistolet to prezent dla mnie.

– No tak.

– To może mi go dasz?

Popatrzyła ostro na punka.

– Dobrze – odparła i podała mi broń.

Wyglądał, jakby miał zaraz zemdleć. Osunął się po ścianie i usiadł, z rany płynęła krew. Nachyliłem się nad nim i zacząłem przeszukiwać mu kieszenie.

– Okradasz go? – spytała Bri.

Nie żeby się tym przejmowała, po prostu była ciekawa.

– Szukam jego zapasów, to kokainista, widziałem, jak pociągał nosem.

– Chcesz wciągnąć kreskę?

Znalazłem paczuszkę, rozerwałem ją. Posypałem ranę koką, krwawienie ustało.

– Co robisz? – spytała Bri.

– Działa znieczulająco.

– Skąd wiesz?

– Siedziałem w celi z ćpunem.

Wstałem i wziąłem ją za rękę.

– Chodźmy – powiedziałem.

Gdy wyszliśmy na ulicę, spytała:

– Zajrzymy do jakiegoś klubu?

Zatrzymałem taksówkę, wsadziłem ją do środka i odparłem:

– Zadzwonię jutro.

– Mitch, mam nadzieję, że nie jest ci przykro, że Frank nie dotarł.

– Nie, nie jest.

Zmierzając w stronę metra, miałem heroinę, pistolet i pół paczki kokainy. Czegóż więcej można pragnąć nocą w Londynie?

Gdy znalazłem się na powrót w mieszkaniu, zrzuciłem buty, otworzyłem piwo i padłem na sofę. Potem sobie trochę posiedziałem, nasypałem kreskę koki, wciągnąłem szybko. Po chwili byłem odurzony.

Cholernie przyjemnie.

Nie okłamałem Bri, mówiąc, że siedziałem z ćpunem. Opowiadał mi o herze, o całowaniu Boga. Sięganiu aż do gwiazd.

Postanowiłem spróbować jeden raz, pierwszej nocy na wolności.

Co noc powracał wspomnieniami do pierwszego kłucia. Tak jakbyś całe życie żył w ciemności i nagle wchodzisz w światło. Śmiejesz się głośno. Twoje nerwy są jak z aksamitu, twoja skóra się jarzy. A ta energia, jakbyś był jakimś pieprzonym człowiekiem bionicznym.

Opowiadał mi też o minusach. Uznałem, że sobie z tym poradzę.

Ale nie dziś. Nie czułem się dobrze. Poszedłem do sypialni i ukryłem prochy pod bluzami. Glocka włożyłem pod materac. Po koce byłem pobudzony, nosiło mnie. Podszedłem do półki z książkami i wybrałem Jamesa Sallisa.

Poezja.

Strata.

Uzależnienie.

Doskonałe.

Mniej więcej w połowie odsiadki złożył mi wizytę kapelan. Leżałem na pryczy i czytałem. Mój towarzysz z celi był na spotkaniu odwykowym. Kapelan miał dobre maniery.

– Czy mogę wejść? – spytał.

– Jasne.

Zawszeć to jakaś rozrywka. Usiadł na przeciwległej pryczy, zlustrował moje książki. Była tam

filozofia

literatura

thrillery

poezja.

– Pana lektury są bardzo eklektyczne – zauważył.

Myślałem, że powiedział „elektryczne", więc odparłem:

– Ważne, żeby dawały kopa.

Obdarzył mnie religijnym uśmiechem, takim formalnym, bez żadnego ciepła.

– Powiedziałem „eklektyczne", mając na myśli, że są dość przypadkowe.

Spodobało mi się.

– Podoba mi się – oświadczyłem.

Wziął tom poezji.

– Rilke, a to niespodzianka.

Próbowałem przypomnieć sobie jakiś cytat.

– „Może wszystko, co straszne, jest w głębi bezbronne i oczekuje od nas miłości"*. – Zadziałało. Zatkało go. Drążyłem dalej: – Czy sądzi pan, że więźniowie, którzy są tutaj, potrzebują miłości?

Wpadł w nastrój ewangeliczny.

– Większość przebywających tu mężczyzn nie jest straszna, oni są tylko... – Zabrakło mu odpowiedniego przymiotnika.

– Najwyraźniej nigdy pan z nami nie żarł. Wczoraj jeden koleś został dźgnięty nożem w twarz za krem karmelowy.

– Niefortunny incydent.

– Można i tak to ująć.

Usiadłem, skręciłem szluga, zaoferowałem kapelanowi.

– Nie, dziękuję.

Trochę mnie interesował.

– Prowadzi pan? – spytałem.

– Słucham?

– Samochód. Lubię słuchać o autach.

– Nie, jeżdżę na rowerze.

Jakżeby inaczej.

Złożył ręce na kolanach, przybrał empatyczny wyraz twarzy i spytał:

– Czy coś pana gnębi?

---

* Cytat pochodzi z *Listów do młodego poety*, czyli zebranej w formie książkowej korespondencji Rilkego z Franzem Xavierem Kappusem (wszystkie przypisy w książce pochodzą od tłumacza).

Roześmiałem się głośno, wskazałem świat poza celą.

– Niech pan zgadnie.

– Dobrze jest się tym z kimś podzielić.

– Nie tak głośno, ojcze. Takie gadanie może wywołać zamieszki.

Wstał, spełniwszy swój obowiązek.

– Jest pan interesującym człowiekiem. Czy mogę jeszcze kiedyś pana odwiedzić?

Położyłem się z powrotem na pryczy i odparłem:

– Moje drzwi zawsze stoją otworem.

Oczywiście nigdy więcej się nie zjawił.

Następnego ranka słuchałem stacji Capitol, gdy zadzwonił telefon. Podniosłem słuchawkę.

– Tak?

– Mitch? Tu Sarah.

– A, cześć. Załatwiłaś sobie materiał na artykuł?

– Nie, ale być może załatwię ci pracę.

– Dzięki.

– Na razie mi jeszcze nie dziękuj. Mam ciotkę w dzielnicy Holland Park. Mieszka w wielkim domu, który wymaga pilnych napraw. Sęk w tym, że to trudna kobieta i już żadni robotnicy nie chcą u niej pracować. A wierz mi, były ich całe zastępy.

– Dlaczego ze mną miałoby być inaczej?

Nastąpiła długa pauza.

– No cóż, wybaczy wszystko mężczyźnie, który jest przystojny.

– Aha.

– Chcesz spróbować? Świetnie płaci.

– Jasne, czemu nie.

– Mieszka w Elms, nie sposób przeoczyć, zaraz na początku Holland Park, rezydencja z imponującym podjazdem.

– Znajdę.

– Nie wątpię. Znasz się na teatrze?

– Ani trochę.

– Wobec tego nie zetknąłeś się pewnie z Lillian Palmer?

– Nigdy o niej nie słyszałem.

– To pewnie bez znaczenia. W każdym razie to właśnie ona, moja ciotka.

– Cieszę się, że ją poznam.

– Nie bądź tego taki pewien. Cóż, powodzenia.

Postanowiłem spróbować, czując, że mogę być na fali.

– Słuchaj, Saro, może wybrałabyś się ze mną na drinka?

– Nie sądzę. Nie jestem w tym pakiecie.

Odwiesiła słuchawkę.

To tyle, jeśli chodzi o bycie na fali.

Nie miałem sprzętu do roboty, ale uznałem, że coś sobie skombinuję, jak dostanę tę pracę. Znałem mnóstwo kowbojów, od których mogłem pożyczyć niemal wszystko.

Najpierw pójdę obejrzeć sobie to miejsce, zobaczę, czego mi trzeba. Skoro mam być złotą rączką, najbardziej odpowiednie wydają się zwykłe ciuchy. Bluza sportowa i dżinsy będą w sam raz.

Idąc do metra, myślałem: Mam dom, ubrania, propozycje pracy, a wyszedłem zaledwie dwadzieścia cztery godziny temu.

Ci więźniowie nie mieli racji: życie na wolności to pestka.

Anonimowi Alkoholicy odwołują się do Siły Wyższej. Na ulicach mieszkają bezdomni. Wspólny mianownik to alkohol. Alkoholicy muszą się powstrzymywać od picia, żeby przetrwać. Bezdomnym picie zapewnia przetrwanie.

Nie wiem, dlaczego przyszło mi to do głowy. Błądzenie myślami to scheda po więzieniu.

W każdym razie, zanim się obejrzałem, byłem w okolicach Holland Park. Wysiadłem z metra przy Notting Hill i dalej poszedłem pieszo. Od razu znalazłem Elms. Jak wspomniała Sarah, przed domem był ogromny podjazd. Idąc nim, spoglądałem na szeregi rosnących po bokach drzew.

Nagle ujrzałem dom i aż mruknąłem z podziwu. To była rezydencja, inne określenie tam nie pasowało.

Dom krzyczał

BOGACTWO.

Podszedłem do solidnych dębowych drzwi. Z bliska dom wyglądał na podupadły, a nawet nędzny. Wymagał dużego nakładu pracy. Podniosłem ciężką kołatkę i zastukałem.

Drzwi się otworzyły. Stanął w nich kamerdyner w liberii. Nie mogłem uwierzyć własnym oczom. Sądziłem, że wszyscy kamerdynerzy przenieśli się do Kalifornii, seriali komediowych albo do tych obu naraz. Był niski, mocnej budowy. Przypominał Oddjoba z Bonda. Byłem tak zaskoczony, że aż mnie zatkało.

– Słucham – powiedział.

Przedstawiłem się i wspomniałem o Sarah, spodziewając się, że zostanę wykopany.

– Pani oczekuje pana. Proszę za mną – oznajmił.

Poszedłem za nim. Znaleźliśmy się w wielkim holu. Zabrałby mój płaszcz, gdybym go miał. Wprowadził mnie do salonu i powiedział:

– Pani zjawi się wkrótce.

Potem się odwalił.

Pokój był ogromny, z meblami w stylu regencji. Wiem to, bo wyglądały, jakby nikt nigdy na nich nie siedział. Wszędzie stały fotografie w ramkach przedstawiające jakąś blondynkę. Wyglądała jak niefrasobliwa Lauren Bacall, tylko bardziej ostra. Wielki portret nad kominkiem. Znów ta blondynka. Na ścianach wisiały oprawione w ramki plakaty z LILLIAN PALMER W TRAMWAJU ZWANYM POŻĄDANIEM, SŁODKIM PTAKU MŁODOŚCI, POŻĄDANIU W CIENIU WIĄZÓW.

Tego typu.

Mimo drogich ramek wyglądały na stare. Na oknach wisiały ciężkie zasłony i uznałem, że warto by wpuścić trochę światła.

Rozsunąłem je, odsłaniając okna wykuszowe. Za nimi rozciągał się zapuszczony ogród. Nie zastanawiając się nad tym, co robię, zacząłem skręcać papierosa. Potem go sobie przypaliłem. Gapiłem się przez okno, gdy nagle rozległ się wrzask, przez który omal przez nie nie wyskoczyłem.

– ZGAŚ TEGO PAPIEROSA!

Odwróciłem się, by zobaczyć, kto tak krzyczy. Przemknęła koło mnie kobieta.

– Jak śmiesz rozsuwać te zasłony! Światło zniszczy plakaty!

Gdy zasłaniała okna, mogłem się jej przyjrzeć. Była ubrana w długą czarną suknię. Blond włosy spływały po plecach. Wreszcie się odwróciła.

Wcale nie była podobna do Bacall. Raczej do żony Johna Cassavetesa, którą widziałem w *Glorii*.

Kiepsko mi idzie szacowanie wieku, ale uznałem, że to kosztowna sześćdziesiątka.

Pieniądze i starania pozwoliły zatrzymać twarz nietkniętą. Miała zdumiewające niebieskie oczy i dokładnie mi się nimi przypatrzyła.

– Zakładam, że przyszedł pan na rozmowę o pracy? A więc słucham. Co ma pan do powiedzenia?

Głos miała głęboki, niemal szorstki. Zmatowiony przez papierosy i whisky. Oczywiście arogancja też mu się przysłużyła.

– Przydałaby mi się popielniczka – powiedziałem.

Wskazała wielkie kryształowe naczynie. Zgasiłem w nim papierosa.

Trudno w to uwierzyć, ale niedopałek jakoś skaził ten pokój. Samotny pet w naczyniu był niczym afront. Korciło mnie, by schować go do kieszeni.

– Spodziewa się pan zrobić dobre wrażenie, ubierając się jak jakiś biegacz? – spytała.

– Nie musi pani być dla mnie miła – odparłem. – Chcę dostać pracę.

Postąpiła do przodu i już myślałem, że mnie uderzy, lecz ona się roześmiała. To był gardłowy, szelmowski śmiech. Najlepszy.

– Sarah wspomniała, że był pan w więzieniu. Za co? Kradzież?

– Nie jestem złodziejem – odparłem ostrzejszym tonem, niż zamierzałem.

– Ojej, czyżbym poruszyła drażliwą strunę? A może naruszyłam jakąś więzienną normę etyczną? – Wypowiedziała to teatralnym tonem, jakby była na scenie.

Później miałem się dowiedzieć, że nigdy z niej nie schodzi.

– Wdałem się w bójkę, która wymknęła się spod kontroli.

Zamykając temat, oświadczyła:

– Tu nie będzie żadnych bójek.

Nieoczekiwanie poczułem błysk pożądania. Nie mogłem w to uwierzyć. Moje ciało na nią reagowało. Uśmiechnęła się znacząco, a ja nie chciałem tego analizować. Nie ma mowy.

– Weźmiemy cię na tygodniowy okres próbny. Jordan ustali twoje obowiązki.

Podeszła do drzwi, zatrzymała się i dodała:

– Jeśli koniecznie musisz coś ukraść, weź tę ohydną popielnicę.

I wyszła.

Podążyłem za Jordanem do garażu. Przypominał bardziej hangar samolotowy. Od razu zauważyłem samochód stojący na blokach. Gwizdnąłem cicho pod nosem.

– Czy to jest to, co myślę?

– Owszem.

Próbowałem odgadnąć jego akcent.

– Jest pan Niemcem? – zaryzykowałem.

– Węgrem.

Zatoczył ręką po garażu i dodał:

– Wszystko, czego mógłby pan potrzebować, jest tutaj.

Narzędzia.

Kombinezony.

Drabiny.

Farba.

Pomyślałem, że to świetnie.

– Świetnie – powiedziałem.

Wskazał tablicę na ścianie.

– To pański rozkład zajęć.

– Co?

– Pani lubi mieć wszystko zaszufladkowane.

Wypowiedzenie ostatniego słowa sprawiło mu pewną trudność, ale zrozumiałem, co miał na myśli.

– Uporządkowane.

Wskazał na tablicę.

– Proszę to przestudiować – polecił.

Tak też zrobiłem.

Poniedziałek – malowanie
Wtorek – rynny
Środa – dach
Czwartek – okna
Piątek – patio

Udałem zainteresowanie, jakby to wszystko miało jakiś sens.

– A w sobotę balanga – powiedziałem.

Zignorował moje słowa.

– Będzie pan przychodził dokładnie o siódmej trzydzieści. Pokrzepi się pan lekkim śniadaniem. Pracę rozpocznie pan punkt ósma. O jedenastej będzie pan miał przerwę na herbatę, dwadzieścia minut. O pierwszej godzina przerwy na lunch. Pracę zakończy pan punktualnie o czwartej.

Miałem ochotę wyciągnąć rękę w hitlerowskim pozdrowieniu i zakrzyknąć: *Jawolh, Herr Kommandant.*

– Czy ona teraz pracuje? – spytałem zamiast tego.

– Pani wypoczywa.

– Rany, sądząc po tych plakatach, wypoczywa już od trzydziestu lat.

– Oczekuje na odpowiedni pojazd.

– Ten by się nadał – zauważyłem, wskazując na rolls-royce'a Silver Ghost.

Jeśli nawet coś odpowiedział, jego słowa zginęły w warkocie nadjeżdżającej furgonetki. Na jej boku widniał napis:

LEE

PRACE BUDOWLANE I KONSERWACJA

Ze środka wygramolił się otyły mężczyzna. Z powodu tuszy zabrało mu to dłuższą chwilę. Miał na sobie kombinezon i czapkę bejsbolową. Brudną bejsbolówkę z ledwie widocznym LEE.

Zbliżył się wolnym krokiem, skinął Jordanowi, spojrzał na mnie.

– Co to za palant? – spytał.

– Panie Lee, nie jest pan już tu zatrudniony – odparł Jordan. – Sądziłem, że jasno dałem to do zrozumienia.

Lee lekceważąco machnął ręką.

– Wyluzuj, Jord. Stary nietoperz, który siedzi w środku, nie ma pojęcia, kto jest tutaj. Nie odpuszczę takiej dobrej fuchy.

Jordan westchnął.

– Został pan już zastąpiony, panie Lee. Muszę pana poprosić o opuszczenie terenu.

Lee się roześmiał.

– Zmykaj, Jord... przynieś mi filiżankę herbaty, dwie kostki cukru. Ja rozprawię się z tym śmieciem.

Ruszył na mnie. Jordan był szybszy. Błyskawicznie dźgnął Jordana dwukrotnie w brzuch. Ledwie zauważyłem, że nie zrobił tego pięścią, lecz otwartą dłonią.

Lee zgiął się z bólu i jęknął:

– Za co?

Jordan stał nad nim i obiema rękami trzepnął go po uszach.

– To chyba boli – zauważyłem.

Potem Jordan pomógł Lee dowlec się do furgonetki i wepchnął go do środka. Po kilku minutach silnik się zapalił i Lee odjechał. Jordan odwrócił się do mnie.

– Czy mógłby pan rozpocząć pracę w poniedziałek? – spytał.

– No jasne.

Zapaliłem skręta i ruszyłem podjazdem. Gdy dotarłem do bramy, obejrzałem się za siebie. Dom wyglądał na opustoszały. Zacząłem iść w stronę Notting Hill. W połowie drogi natknąłem się na furgonetkę Lee. Opierał się o nią i masował sobie brzuch. Gdy się do niego zbliżyłem, powiedział:

– Chcę zamienić z tobą słówko, koleś.

– Okej.

– Nie wiem, jak się nazywasz.

– Nie.

Ustawił się jak do walki. Zauważyłem, że ma czerwone uszy.

– Lepiej ze mną nie zadzieraj, koleś – warknął.

– A to czemu?

– Taki z ciebie przemądrzały dupek?

– Przemądrzały dupek, który ma pracę – przykro mi – ale twoją.

Wahał się, jak zareagować, wreszcie postanowił użyć słów.

– Gdybyś wiedział, co dla ciebie dobre, koleś, trzymałbyś się z daleka.

Wykonałem żartobliwy markowany cios w jego brzuch, lecz nawet go nie dotknąłem.

– Chyba musisz przystopować z tymi hamburgerami, Lee – powiedziałem.

Poszedłem dalej. Idąc Ladbroke Grove, ciągle jeszcze słyszałem, jak pomstuje pod nosem. W sumie polubiłem starego Lee. W więzieniu załatwiliby go po tygodniu.

Po powrocie do Clapham odczuwałem skutki wrażenia, jakie wywarła na mnie Lillian Palmer. Pomyślałem, że czas kogoś przelecieć. Wszedłem do budki telefonicznej i przejrzałem wystawione tam wizytówki. Każda zachcianka seksualna mogła zostać zaspokojona. Wybrałem to:

TANYA

DWUDZIESTOLATKA NIEDAWNO PRZYBYŁA
Z AMERYKI POŁUDNIOWEJ, PIĘKNA,
BIUŚCIASTA, GOTOWA ZASPOKOIĆ
TWOJE WSZYSTKIE PRAGNIENIA.

O, tak!

Zadzwoniłem i ustaliłem godzinę. Tak, mogła się ze mną spotkać już teraz. Przyjmowała w Streatham. Słowo daję, że jechałem tam cały w nerwach.

Po trzech latach zastanawiasz się, jak to będzie. Znalazłem budynek i nacisnąłem na najwyżej umieszczony dzwonek. Rozległ się brzęczyk, pokonałem dwie kondygnacje schodów. Zapukałem do drzwi. Otworzył trzydziestoparoletni facet.

– Rany, mam nadzieję, że to nie ty jesteś Tanyą – powiedziałem.

– Pięćdziesiąt funciaków z góry – odparł.

Zapłaciłem, a on zapytał:

– Potrzebujesz jeszcze czegoś? Trawki, czegoś na uspokojenie albo pobudzenie?

Pokręciłem głową. Odsunął się i wszedłem do środka. Siedziała tam kobieta ubrana w halkę, pas do pończoch i pończochy. Nie była dwudziestolatką, nie była też biuściasta ani piękna.

– Chcesz drinka? – spytała.

Nie była też z Ameryki Południowej.

– Jasne – odparłem.

– Szkocka?

– Świetnie.

Przyglądałem się jej, gdy nalewała drinka. Miała ładne ciało – pożądanie powróciło. Nie jakieś dzikie podniecenie, ale wystarczające. Wziąłem drinka.

– Na zdrowie – powiedziałem.

Stała przede mną.

– Bez perwersji, bez całowania, bez wiązania – oświadczyła.

Cóż mogłem rzec?

– Bez żartów – dodałem.

Poszedłem za nią do sypialni. W radiu leciał *Desperado* The Eagles. O ile *My Way* to hymn szowinistów, *Desperado* jest racjonalizacją więźniów. Podała mi prezerwatywę i położyła się na łóżku.

Szybko poszło.

Wskazała łazienkę.

– Możesz się tam umyć – powiedziała.

Tak też zrobiłem.

Gdy wyszedłem, dodała:

– Za kolejnych dwadzieścia możemy zrobić to jeszcze raz.

– Myślę, że miałem akurat tyle frajdy, ile mogę znieść.

– Wpadnij znowu – rzuciła, gdy wychodziłem.

Po powrocie do Clapham poszedłem do pubu Rose and Crown, zająłem stołek przy barze, zamówiłem duże piwo. Popijając je, skręcałem papierosa. Facet po sześćdziesiątce podszedł i zajął stołek obok. Miałem kurewską nadzieję, że nie zamierza się zaprzyjaźniać. Przywołałem na twarz grymas pod tytułem „nie zagaduj do mnie". Zamówił duży rum.

– Tylko nie ten dziadowski Kiskadee – zaznaczył.

Wyłączyłem się. Chciałem popławić się w postkoitalnej melancholii.

Nagle zdałem sobie sprawę, że do mnie mówi.

– Co? – spytałem.

– Czy dałbyś wiarę, że dwa miesiące temu miałem robiony angiogram?

– Co takiego?

– To rutynowy zabieg, ale zatkała się arteria, której kardiochirurg nie podejrzewał. Właśnie gdy przetykał inną...

– Zamknij się – powiedziałem. – Nie chcę o tym słuchać.

Wyglądał na zdruzgotanego.

– Chcesz drinka? – zaproponował.

– Chcę, żebyś komu innemu zawracał dupę.

– Ja tylko próbowałem się zakumplować.

– Nie kumpluję się.

Skończyłem piwo i wyszedłem. Po drugiej stronie ulicy zauważyłem mężczyznę, który stał i gapił się na mnie. Był po trzydziestce, miał blond włosy i rozpadający się garnitur. Wyglądał, jakby chciał coś powiedzieć, ale po chwili odwrócił się i odszedł.

Gdyby ruch nie był tak duży, może bym za nim poszedł. Dziś wychodzą z ukrycia, pomyślałem.

Kiedy wszedłem do domu, dzwonił telefon. Podniosłem słuchawkę.

– Mitch?

– Tak.

– To ja, Billy Norton, gdzieś ty się podziewał, wydzwaniam do ciebie przez cały ranek.

– Byłem na spotkaniu w sprawie pracy.

– Co? Przecież już masz pracę.

– Lichwa? To nie praca, tylko wirus.

Nabrał głęboko powietrza.

– Jedziemy jutro, jak się umówiliśmy – powiedział.

– Tak.

– Mitch, to łatwe, nie będzie problemów – musisz tylko udzielić mi wsparcia.

– Łatwe? Pierwszy raz słyszę, że odbieranie pieniędzy jest łatwe.

Był mocno wkurzony, ale starał się trzymać nerwy na wodzy.

– Przywiozę trochę red bulla – powiedział.

– Co?

– To napój energetyzujący. Jak się nim popije amfę, człowiek jest nieźle nakręcony.

– I całkiem niepoczytalny.
– Przyjadę po ciebie o dwunastej, okej?
– Już nie mogę się doczekać.

Później zadzwoniłem po pizzę i czekałem na dostawę. Czytałem *Sideswipe* Charlesa Willeforda, ubolewając w duchu nad tym, że nie będzie już więcej błyskotliwych książek z tej serii. W więzieniu czytałem jedną–dwie książki dziennie. Zamierzałem utrzymać ten zwyczaj.

Rozległ się dzwonek. Otworzyłem. To nie była pizza. Dobrze zbudowany facet o stalowoszarych włosach, w ciemnym garniturze.

– Pan Mitchell? – spytał.

– Tak.

Pokazał legitymację.

– Jestem detektyw sierżant Kenny – mogę na słówko?

– Jasne.

Wszedł za mną, rozglądając się po pokoju.

– Ładnie tu – pochwalił.

Skinąłem głową. Usiadł.

– Dostajemy na bieżąco informacje o byłych więźniach powracających do naszego rewiru.

Jeśli spodziewał się jakiejś odpowiedzi, to się jej nie doczekał.

Wyjął paczkę szlugów, nie poczęstował mnie, zapalił i ciągnął dalej:

– Rozpoznałem twoje nazwisko, ale o dziwo, nie miałem adresu.

– Nie przebywam na zwolnieniu warunkowym, jestem wolnym człowiekiem.

– Oczywiście. Przekręciłem do twojego przyjaciela Nortona i bardzo mi pomógł. Pomyślałem więc, że wpadnę i zobaczę, jak sobie radzisz.

Znów odezwał się dzwonek. Tym razem to była pizza. Wniosłem pudełko do środka, położyłem na stole.

– Pizza, świetnie – ucieszył się Kenny. – Mogę?

– Jasne.

Otworzył pudełko i ciągnął dalej:

– Hmmm, jak dobrze, że bez anchois... a może by tak dzbanuszek herbatki?

Poszedłem zaparzyć herbatę. Zawołał za mną z pełnymi ustami:

– Ale pyszna. Najlepiej jeść, póki jest ciepła.

Zanim wróciłem z herbatą, zmiótł już połowę.

– Rany, tego mi było trzeba – westchnął. – Nie jadłem lunchu.

Opadł na oparcie, beknął.

– Czy jest jakiś szczególny powód tej wizyty? – spytałem.

Nalał sobie herbaty.

– Zajrzałem do twoich akt – odparł. – Siedziałeś trzy lata za pobicie.

– Tak.

– Zastanawiałem się, jakie masz teraz plany.

– Mam pracę.

– O rany! Ale szybko! Legalną?

– Oczywiście.

Wstał. Strzepnął okruchy z marynarki.

– Twój przyjaciel Norton balansuje na krawędzi. Lepiej go unikaj.

Miałem już dość tej jego życzliwości.

– Czy to pogróżka, sierżancie?

Uśmiechnął się.

– Ejże, trzymaj nerwy na wodzy, chłopcze. Nie chcę, żebyś znów wpadł w kłopoty.

– Jestem wzruszony pańską troską – odezwałem się spokojniejszym tonem.

– I jeszcze będziesz. To się nazywa intuicja.

Wróciłem do środka, zwinąłem pizzę razem z pudełkiem i cisnąłem do kubła na śmieci. Włożył niedopałek do fusów po herbacie.

– Pierdolona świnia – powiedziałem głośno.

Następnego ranka miałem zagwozdkę, w co się ubrać na wymuszanie.

Elegancko czy na luzie? Uznałem, że załatwię sprawę prosto. Dżinsy i bluza.

Dokładnie o dwunastej zjawił się Norton. Wsiadłem do furgonetki i powiedziałem:

– Miły dzionek na taką robotę.

Był nakręcony na maksa, przytupywał, bębnił palcami po kierownicy. Gdy odjeżdżaliśmy, zauważyłem znajomego blondasa w zmaltretowanym garniturze.

– Billy, zatrzymaj się na chwilę – zawołałem.

Stanął, a ja wyskoczyłem z samochodu. Facet zniknął. Gdy wsiadłem do środka, Norton spytał:

– Co jest?

Pokręciłem głową.

– To wariactwo, ale myślę, że ktoś za mną łazi.

– Za tobą? Rany, to musiałby być jakiś świr. Masz, golnij sobie.

Wskazał stos puszek red bulla.
– Nie, chcę to zrobić na zimno – powiedziałem.
Otworzył puszkę, pociągnął duży łyk.
– Speeda też wziąłeś? – spytałem.
– Tylko pół tabletki, nic wielkiego.
Pędziliśmy z rykiem po Clapham Road.
– Balansujesz na krawędzi – rzuciłem.
– Co?
– Policjant mi tak powiedział.
Wytrzeszczył na mnie oczy.
– Patrz na pieprzoną drogę – warknąłem.
– Gadałeś o mnie z gliną? – wrzasnął.
– Tak, z tym kutasem, któremu dałeś mój adres.
– Aha.
Zatkało go na chwilę, ale zaraz dodał:
– Kenny to palant, nie musisz się nim przejmować.
– To palant, który wie, gdzie mieszkam. To niepokojące.
Gdy skręciliśmy w Ashmole Estate, Norton powiedział:
– Musisz się trochę wyluzować, Mitch. Traktujesz wszystko zbyt serio.
– Racja.

– Nienawidzę pieprzonych zakonnic.

Norton wyrzucił z siebie te słowa, gdy chodnikiem przemknęła zakonnica.

W Ashmole Estate jest klasztor żeński. „Estate" to coś, co Amerykanie określają jako „project", czyli osiedle wybudowanych przez lokalne władze domów czynszowych.

– Myślałem, że wy Irlandczycy macie religię – powiedziałem.

Chrząknął pod nosem i odparł:

– Mamy dobrą pamięć.

– Jak się nie ma religii, dobrze jest mieć zalety.

Spojrzał na mnie z ukosa i odparł:

– Rany, Mitch, to cholernie głęboka myśl.

– Ale nie oryginalna. Napisał to poeta Donald Rawley.

Gdy podjechaliśmy do wieżowca, rzucił:

– Nienawidzę pieprzonych poetów.

Gdy wysiedliśmy, Norton zarzucił torbę sportową na ramię i spytał:

– Chcesz coś?

– Nie, jak mówiłem, nie będę się niczym faszerować.

– Chodzi mi o zabezpieczenie... na przykład kij bejsbolowy. Tam, gdzie idziemy, poezja nie na wiele ci się zda.

– Nie... co masz w tej torbie?

– Bodźce – odparł ze złowieszczym uśmieszkiem.

***

Budynek miał osiemnaście pięter. Przy drzwiach wejściowych znajdował się domofon, ale kompletnie roztrzaskany. Pchnęliśmy drzwi i ruszyliśmy do windy.

– Trzymaj kciuki – powiedział Norton.

– Co?

– Za windę… żeby chodziła.

Chodziła.

Pokryta graffiti, cuchnęła moczem i rozpaczą. Był to dobrze mi znany zapach. Ale człowiek nigdy się do niego nie przyzwyczaja.

Na osiemnastym wysiedliśmy i Norton powiedział:

– Myśl o tym jak o golfie.

– Golfie?

– Tak, osiemnaście dołków.

Podeszliśmy do drzwi mieszkania i Norton w nie załomotał. Wyjął czerwony notesik. Drzwi się uchyliły, wyjrzało dziecko.

– Zawołaj mamę – polecił Norton.

Matka była Hinduską, wyglądała na zdenerwowaną.

– Czas spłaty – oznajmił Norton.

Wróciła do środka i przyniosła zwitek banknotów, podała go. Norton zajrzał do notesu, przeliczył banknoty.

– Trochę tego za mało – oświadczył.

– To był straszny tydzień…

– Wiesz co, mam to gdzieś – przerwał jej. – Słuchaj, za tydzień masz dać dwa razy tyle.

Zgodziła się aż nadto chętnie. Wszyscy troje wiedzieliśmy, że nigdy tyle nie będzie miała.

Zeszliśmy na siedemnaste piętro.

– Właściwie jak to działa? – spytałem. – Wygląda mi na to, że wpadają w coraz większy dół.

Norton uśmiechnął się szeroko: zasługa speeda, nie dobrego humoru.

– Widzisz, masz to we krwi – od razu załapałeś, co jest grane. Jak przyjdzie czas, przekazują umowę najmu.

– A potem?

– Nie bój nic, mamy specjalistów od usuwania z mieszkań.

– Niech zgadnę. Potem je odnajmujecie.

– Bingo. Japiszonom, którzy chcą mieć widok na pole do krykieta. Mamy tu już sześć mieszkań.

Kolejne trzy piętra w dół powtarzała się ta sama smutna historia. Żałosne kobiety różnych narodowości zaklinające się na wszystko. Na dwunastym piętrze Norton powiedział:

– Przez tych hiszpańskich cymbałów mam same kłopoty.

Gdy drzwi się otworzyły, wtargnął do środka. Kobieta podniosła wrzask.

– Nada, nada, nada!

Norton rozejrzał się wokół.

– Gdzie on jest, gdzie twój mąż?

Drzwi łazienki rozwarły się na oścież i wypadł z nich mężczyzna ubrany jedynie w jaskrawoniebieskie bokserki. Przemknął obok mnie i wypadł na korytarz.

Norton rzucił się za nim jak chart, z szaleńczym uśmieszkiem na twarzy. Był nieźle nawalony.

Złapał faceta na schodach i zerwał z niego bokserki. Otwartą dłonią przyłożył mu kilka razy w tyłek.

Potem zaciągnął go z powrotem do mieszkania. Mężczyzna płakał.

– Weź telewizor – powiedział.

Norton sięgnął do swojej torby sportowej, wyjął młotek z pazurem.

Podszedł do telewizora i roztrzaskał ekran w drobny mak.

– Dawajcie umowę najmu – warknął.

Posłuchali.

Piętro niżej oznajmił:

– Czas na małą przerwę.

Był zlany potem. I strasznie nakręcony.

– Nie czekaj, aż cię poproszę, Mitch. Możesz w każdej chwili się włączyć i trochę mi pomóc.

Otworzył puszkę red bulla, popił speeda i spytał:

– Chcesz kogoś przerżnąć?

– Teraz?

– Jasne, niektóre z nich dają dupy zamiast zapłaty.

– Raczej nie skorzystam. Czy nikt nie wzywa policji?

– Bądź realistą! Myślisz, że gliny by się tu pofatygowały?

Skręciłem sobie papierosa, przypaliłem go.

– A dzieciaki... nie masz z tym problemu?

– Niech się wcześnie uczą. Będą twardsze.

Spojrzał z pogardą na mojego skręta.

– Nie musisz palić tego gówna – powiedział. – Teraz jesteś w innej lidze.

Wzruszyłem ramionami.

– Lubię skręty.

Wyjął paczkę dunhilli, w luksusowym gatunku, wyjął jednego.

– Mogę cię o coś spytać?

– Jasne.

Rozejrzał się wokół, jakby ktoś nas podsłuchiwał. W budynku panował potworny hałas.

Trzaskanie drzwiami

wrzaski

wycie dzieci i

muzyka rap w tle.

– Jak było w więzieniu?

Mógłbym odpowiedzieć: tak jak tu. Ale przyszedł mi na myśl Tom Kakonis, amerykański autor kryminałów, który rozumiał świetnie, czym jest więzienie. Ujął to tak:

Powiedzmy, że to dżungla, gabinet luster, kraina socjopatów, państwo wściekłości, gdzie zdrada jest normą, zemsta kanonem, a litość jest czymś niepojętym albo dawno zapomnianym. Albo powiedzmy, że to cios rurką po krzyżu, kij od szczotki w tyłku, trzonek noża między żebrami. To znaczy, że jesteś całkiem sam... Nikt cię nie chroni.

Nie powiedziałem tego Nortonowi, zamiast tego oświadczyłem:

– Przede wszystkim było nudno.

– Tak?

– Nic wielkiego.

Zgniótł puszkę, gdy skończył pić, i rzucił ją na schody. Odbijała się od każdego stopnia. Słyszałem, jak grzechocze w dole, jak krzyk w więziennym skrzydle trwający do świtu.

Na dziewiątym piętrze doszło do zamieszania. Norton znęcał się nad czarną kobietą, gdy nagle wparował jej facet. Trafił Nortona pięścią w bok głowy.

Potem ruszył na mnie. Był wielki, silny, ale to wszystko. Walczył czysto.

Ja nie.

Uchyliłem się przed jego ciosem i kopnąłem z kozła w jaja. Gdy złożył się wpół, walnąłem go łokciem w tył głowy. Pomogłem Nortonowi się podnieść, a on chciał skopać czarnego mężczyznę do krwi. Odciągnąłem go na bok.

– Może na dziś wystarczy – powiedziałem.

Zgodził się ze mną.

– I tak już prawie mamy wszystko z głowy – od ósmego w dół to pestka.

Zjechaliśmy windą na dół. Norton masował sobie głowę.

– Myliłem się co do tej poezji.

– Co?

– Gdy mówiłem, że nie na wiele ci się przyda. Sposób, w jaki powaliłeś tego kolesia, to była pieprzona poezja.

Ruszyłem w stronę samochodu, ale Norton rzucił:

– Chodź, na rogu jest pub, postawię ci drinka.

W barze Norton powiedział:

– Jesteśmy pracującymi facetami, należy nam się parę boilermakerów.

– Może być.

Barmance trzeba było wyjaśnić, że chodzi o piwo ze szkocką.

Akurat nastała pora lunchu, kiełbasa z ziemniakami piure stanowiła danie dnia. Ładnie pachniało, niemal pocieszająco.

Zajęliśmy stolik w głębi.

– *Sláinte* – powiedział Norton.

– To też.

Po szkockiej trochę się odprężyliśmy. Norton przeliczał kasę, wpisując sumy do czerwonego notesu. Pisząc, poruszał ustami, bezgłośnie powtarzając cyfry. Potem wziął zwitek banknotów, owinął gumką. Popchnął go w moją stronę po stole.

– Twoja działka.

– Rany, Billy, nic takiego nie zrobiłem.

– Jeszcze zrobisz, Mitch, zapewniam cię.

Podjeżdżaliśmy do Oval, gdy zauważyłem tego blondyna. Wchodził do Cricketers. Poprosiłem Nortona, żeby tam podjechał.

– Co jest grane? – spytał.

– Będę śledził kogoś, kto mnie śledzi.

– I to ma mieć jakiś sens?

– Jasne, że nie.

Wysiadłem i przeciąłem ulicę. Potem wszedłem do pubu. Facet stał przy barze, plecami do mnie. Zbliżyłem się do niego, walnąłem go serdecznie w plecy i powiedziałem:

– A kuku.

O mało nie zemdlał. Zobaczyłem, że zamówił małe piwo. Dałem mu chwilę na dojście do siebie.

– Wiedziałem, że nie powinienem wracać.

Pociągnąłem łyk jego piwa.

– Ale sikacz – powiedziałem.

Spojrzał na drzwi, a ja się uśmiechnąłem.

– Jestem Anthony Trent – oznajmił.

– Mówisz tak, jakby to coś miało dla mnie znaczyć. A gówno znaczy.

– Przepraszam, no jasne... Mieszkałem w tamtym mieszkaniu, zanim się stało pańskim mieszkaniem.

– A teraz czego chcesz?

– Zabrać parę rzeczy.

Wypiłem jeszcze trochę jego piwa.

– Dlaczego wyniosłeś się w takim pośpiechu?

– Zadłużyłem się u pana Nortona.

– Na ile?

– Dziesięć patyków.

– Więc dałeś nogę?

– Pan Norton ma groźnych przyjaciół.

Zauważyłem, że mi się uważnie przygląda.

– Co jest? – spytałem.

– Zdaje się, że ma pan na sobie jedną z moich bluz. Proszę nie suszyć jej w suszarce.

– Słuchaj, Anthony, smutna ta twoja historia, ale zrobi się jeszcze smutniejsza, jeśli znowu będziesz mnie śledził.

– Jasne... oczywiście, rozumiem. Więc mógłbym wziąć parę rzeczy z mieszkania?

Odczekałem chwilę, a potem odparłem:

– Nie ma mowy.

Dziwka nie pomogła. Lillian Palmer ciągle chodziła mi po głowie. Ale właściwie... czemu? Spodobała mi się taka staruszka? Bądźmy realistami.

Jednak, choć próbowałem się tego wypierać, znaczący uśmiech wciąż powracał. Wiedziała, że byłem podniecony. Za każdym razem, gdy się z tym jakoś uporałem, pragnienie wzięcia jej siłą gwałtownie powracało.

Zadzwoniłem do Briony, spytałem, czy chciałaby wpaść na kolację.

– Gotujesz? – spytała.

– Jasne. Co powiesz na wołowinę po chińsku?

– Och, Mitch, jestem wegetarianką.

Oczywiście.

– To może warzywa po chińsku?

– Świetnie, Mitch. Przyniosę wino.

Podałem jej adres, na co spytała:

– Biedny Mitch. Czy to zaniedbane wynajęte mieszkanie z umeblowaniem?

– Coś w tym rodzaju.

– Przyniosę kwiaty, żeby je trochę ożywić.

Nagle uderzyła mnie pewna myśl.

– Ale nie zmierzasz chyba tego wszystkiego ukraść, co?

Milczenie.

– Bri?

– Będę grzeczna, Mitch.

– Okej.

– Frank lubi, jak jestem grzeczna.

– No jasne... do zobaczenia o ósmej.

Nim wybiła ósma, mieszkanie sprawiało wręcz przytulne wrażenie. Garnki na piecyku, kuchenne aromaty, stół nakryty. Otworzyłem butelkę wina, nalałem kieliszek. Miało goryczkę, co mi odpowiadało. Jeśli chodzi o alkohol, musiałem mieć się na baczności. Odsiadka była bezpośrednim rezultatem picia.

Gdy piję whisky, film mi się urywa. Sam dzień pamiętam dokładnie. Norton i ja zrobiliśmy przekręt, dzięki któremu wpadły nam trzy tysiące.

Na głowę.

Piłem na umór. Nawet Norton powiedział:

– Rany, Mitch, przystopuj trochę.

Nie zrobiłem tego.

Z wieczoru nic już nie pamiętam. Ponoć wdałem się w kłótnię z jakimś gościem. Wyszliśmy na zewnątrz.

Norton poszedł za nami.

Udało mu się powstrzymać mnie przed zabiciem tego gościa, ale ledwie, ledwie.

Dostałem trzy lata.

Nie będę z tym dyskutować. Chodzi o to, że moje ręce były czyste.

Nie miałem nawet żadnego zadrapania na kłykciu. Wspomniałem o tym swojemu obrońcy, który powiedział:

– Użyłeś do tego stopy.

Aha.

Ludzie znajdują różne sposoby na przetrwanie nocy w więzieniu.

To może być

gorzała

cwel

klej.

Co do mnie, całymi dniami ćwiczyłem, aż moje ciało było wykończone. Niektórzy faceci się modlili, chociaż po cichu. Przejąłem mantrę z *Pieśni stworzenia* Bruce'a Chatwina.

To szło mniej więcej tak:

„Ujrzę buddyjskie świątynie na Jawie. Będę siedział z ascetami na ghatach w Benares. Będę palił haszysz w Kabulu i pracował w kibucu".

Przeważnie działało.

Odezwał się dzwonek. Otworzyłem Bri. Była ubrana w czarny kombinezon i różową sportową bluzę. Wręczyła mi wielki bukiet kwiatów.

– Wejdź – powiedziałem.

– Ojej, ale tu fajnie – westchnęła, gdy tylko zobaczyła mieszkanie.

Nalałam jej wina, upiła łyk i spytała:

– Czy wino można mieszać z prochami na uspokojenie?

– Hmm...

– Bo chcę się tylko odprężyć, a nie odjechać.

Zabrzmiało to bardzo obiecująco, chociaż mało prawdopodobnie.

– Wprowadzę się do ciebie – oświadczyła, siadając.

– Co?

Roześmiała się głośno. To był dobry śmiech, płynący z głębi, jedynie z lekko histeryczną nutą.

– Wyluzuj, Mitch, tak sobie tylko żartuję.

– Jasne.

Poszedłem sprawdzić jedzenie, wyglądało na to, że wszystko gra. Bri zawołała:

– Świetnie pachnie, Mitch.

– Za dziesięć minut powinno być gotowe. Może być?

– Cudownie.

Gdy wróciłem, układała kwiaty. Usiadłem i skręciłem sobie papierosa.

– Czy wydaję ci się jakaś inna? – spytała Bri.

– E... nie, wyglądasz... fajnie.

– Chodzę na terapię.

To chyba dobrze?

Opuściła głowę i oznajmiła:

– Nie wolno mi już mówić o Franku.

Miałem ochotę powiedzieć „dzięki Bogu", ale rzuciłem tylko:

– Okej.

Obeszła całe mieszkanie, zajrzała do sypialni. Słyszałem odgłos otwieranych drzwi do garderoby. Gdy wróciła, zawyrokowała:

– Spadłeś na cztery łapy, Mitch.

– Chrupiąca piętka.

– Co?

– To nawiązanie do tytułu książki Dereka Raymonda.

– Czyjej?

– Nieważne.

Wskazała na książki.

– Przeczytasz to wszystko?

– Taki mam plan.

Posmutniała.

– Bri, ja chcę je przeczytać. Lubię to.

Kręciła głową.

– Szkoda – powiedziała.

– Co?

– Nie starczy ci czasu.

– Co masz na myśli, Bri?

– Na przyjęciu jakiś facet powiedział, że będziesz miał farta, jak wytrwasz przez sześć miesięcy.

Próbowałem ją rozweselić.

– Z łatwością przeczytam je wszystkie w pół roku.

Nie udało się.

– Nie chcę, żebyś wrócił do więzienia.

Podszedłem do niej i objąłem ją ramieniem.

– Hej, przestań, wcale tam nie wrócę.

– Obiecujesz?

– Tak. Mam już stałą pracę.

– Nie radziłam sobie zbyt dobrze bez ciebie, Mitch.

– Może teraz zjemy... co ty na to?

Jedzenie było dobre. Przygotowałem chleb czosnkowy i grzyby z czosnkiem. Bardzo jej smakowały. Otworzyłem jeszcze jedno wino i je sobie popijaliśmy. Warzywa po chińsku były nieco sflaczałe, ale jadalne.

– Co to za praca? – spytała Bri.

Powiedziałem jej. Gdy wymieniłem nazwisko Lillian, oświadczyła:

– Słyszałam o niej. Była najlepszą Blanche DuBois, jaką widział West End.

Briony wiecznie mnie zaskakuje.

– Skąd wiesz? – spytałem.

– Uwielbiam teatr. Będziesz z nią spał?

– Co? Rany, Bri, jest starsza ode mnie.

Bri spojrzała wprost na mnie i spytała:

– Jak ona wygląda?

– Jak Gena Rowlands, całkiem nieźle.

– Więc będziesz z nią sypiał?

Na deser były

grecki jogurt

sernik

tort szwarcwaldzki.

– Co wybierasz? – spytałem.

– Wszystkie trzy.

Wcale nie żartowała.

Potem poszedłem zrobić kawę. Przygotowałem wszystko i przyniosłem na tacy. Widniała na niej Lady Di i wiedziałem, że Bri się to spodoba. Leżała zwinięta na sofie i lekko pochrapywała. Wziąłem ją na ręce i zaniosłem do swojego pokoju, przykryłem kołdrą. Przyglądałem jej się przez chwilę.

– Słodkich snów – powiedziałem.

Postanowiłem darować sobie zmywanie. Usadowiłem się na sofie i włączyłem telewizor, zmniejszając głośność. Lecieli *Nowojorscy gliniarze* i Dennis Franz zażerał się hot dogiem, prowadząc jednocześnie aresztowanego. Wyłączyłem. Nie miałem nastroju na gliniarzy. Nawet na Sipowicza.

Pół godziny później whisky zaczęła chodzić mi po głowie. Wsączała się w nią i szeptała gdzieś na obrzeżach świadomości. Jak zacznę teraz, bez trudu walnę butelkę. Poderwałem się, złapałem kurtkę i postanowiłem, że zamiast tego się przejdę.

O tak.

Camus napisał:

„Nie ma takiego losu, którego nie przezwycięży pogarda".

No cóż, te słowa i kij bejsbolowy powinny pomóc w drodze z Clapham do Oval.

Pomyślałem sobie, że zobaczę się z Joem, sprzedawcą „Big Issue", pogadamy sobie.

Przy Stockwell jakiś facet trzymał afisz. Miał na sobie długi do kostek płaszcz kowbojski. Taki płaszcz jest w porządku, jak się ma konia do kompletu. Na afiszu widniał napis:

NIE SUSZYĆ W SUSZARCE

Gdy go mijałem, obdarzył mnie szerokim, bezzębnym uśmiechem.

– Dobra rada – powiedziałem.

– Odwal się – warknął.

Gdy dotarłem na Oval, nie było tam Joego. Jakiś dwudziestolatek stał na jego miejscu i sprzedawał gazetę.

– Co się stało z Joem? – spytałem.

– Coś powinno się stać – odparł.

Złapałem go za koszulę, usłyszałem, jak odpadają guziki.

– Nie pyskuj, gnojku – warknąłem.

– Został pobity.

– Co?

– Serio, dwóch chłopaków z czynszówek w Kennington tak go załatwiło.

– Gdzie jest teraz?

– W St. Thomas. Kiepsko z nim.

Puściłem chłopaka.

– Nie zadomawiaj się tu, to miejsce Joego – powiedziałem.

Popatrzył na swoją rozdartą koszulę.

– Podarłeś mi koszulę, nie musiałeś tego robić.

– Wiń za to Camusa.

– Kogo?

Zatrzymałem taksówkę i kazałem się zawieźć do szpitala. W recepcji nieźle się namęczyłem, zanim udało mi się zlokalizować Joego. Był na oddziale 10. To nie wróżyło nic dobrego.

Gdy tam dotarłem, zastąpiła mi drogę przełożona pielęgniarek.

– W tym stanie nie może przyjmować gości – oświadczyła.

Zatrzymał się jakiś przechodzący lekarz.

– O co chodzi? – spytał.

Z identyfikatora wynikało, że to niejaki doktor S. Patel.

Pielęgniarka wyjaśniła mu, o co chodzi.

– A tak, facet od „Big Issue". Dobrze, siostro, ja się tym zajmę.

Odwrócił się do mnie.

– Oczywiście jest pan jego krewnym...

– Krewnym?

– Powiedzmy, że jego bratem.

Spojrzałem mu w oczy. Rzadko kiedy zdarza mi się zobaczyć oczy, z których wyziera dobroć.

Teraz takie zobaczyłem.

– Jasne, jestem jego bratem – potwierdziłem.

– Joe nie jest w dobrej formie.

– Ma pan na myśli, że… może umrzeć?

– Sądzę, że w ciągu najbliższej doby.

Wyciągnąłem do niego rękę.

– Dziękuję, doktorze.

– Nie ma za co.

Na oddziale było cicho. Łóżko Joego stało koło drzwi. Bo kiedy zabierają zwłoki, jest mniej zamieszania. Stanąłem z boku. Wyglądał źle. Oczy miał podbite, posiniaczoną twarz, pęknięte wargi. Do jego lewej ręki była podłączona kroplówka. Ująłem jego prawą dłoń.

Otworzył oczy, powiedział:

– Mitch.

Próbował się uśmiechnąć.

– Żebyś zobaczył tego drugiego – zażartował.

– Znasz ich? – spytałem.

– Tak, dwóch chłopaków z czynszówek. Mają gdzieś tak po piętnaście lat… jeden z nich wygląda jak Beckham. I kopie tak samo. Drugi z nich jest czarny.

Zamknął oczy.

– Rany, ale ta morfina daje kopa.

– Dobry towar, co?

– Gdybym miał to na Oval, zostałbym sprzedawcą miesiąca.

– Jeszcze zostaniesz, stary.

Znów otworzył oczy.

– Nie chcę umierać, Mitch.

– Hej, daj spokój.

– Mogę cię o coś prosić, Mitch?

– O co tylko chcesz.

– Nie pozwól im mnie spalić. Nie lubię ognia.

Drzemał przez jakiś czas.

Przysunąłem sobie krzesło, ale wciąż nie puszczałem jego ręki. Zaschło mi w ustach, pewnie od wina.

Przyszła pielęgniarka.

– Może przynieść panu coś do picia?

– Poproszę herbatę.

Gdy wróciła, powiedziała:

– Jest tylko kawa.

– Może być, dziękuję.

Smakowała jak herbata z dodatkiem oleju rycynowego. Skręcało mnie, żeby zapalić, ale nie chciałem wychodzić. Godziny wlokły się powoli. Obudził się, zobaczył, że jestem, przymknął oczy.

Około piątej nad ranem zawołał:

– Mitch?

– Jestem tu, stary.

– Śniła mi się czerwona róża... co to znaczy?

Nie miałem, kurwa, zielonego pojęcia.

– Że nadchodzi wiosna – odparłem.

– Lubię wiosnę.

Później powiedział:

– Strasznie mi zmarzły stopy.

Przesunąłem się na kraniec łóżka, wsunąłem ręce pod koc.

Stopy miał jak z lodu.

Zacząłem je masować i powiedziałem:

– Kupię ci ciepłe skarpety, Joe, będą w sam raz na Oval.

Nie wiem, jak długo masowałem mu stopy, kiedy nagle poczułem czyjąś rękę na ramieniu. To był ten lekarz.

– Nie żyje – oświadczył.

Przestałem masować stopy.

O dziwo teraz były ciepłe.

– Zapraszam do swojego gabinetu – powiedział lekarz.

Poszedłem za nim.

Zamknął drzwi i oznajmił:

– Może pan zapalić.

– Dziękuję, chętnie.

Pogmerał w papierach.

– Pochówkiem zajmie się rada miejska – poinformował.

– Ma pan na myśli kremację.

– Tak zwykle bywa.

– Nie tym razem. Ja wszystko załatwię.

Doktor pokręcił głową.

– Czy to rozsądne? To znaczy, kwatera w Londynie jest droga jak miejsce na parkingu i jeszcze trudniejsza do znalezienia.

– Pochodzi z południowo-wschodniego Londynu i tam zostanie.

– Proszę bardzo. W takim razie musi pan podpisać kilka dokumentów.

Dopaliłem papierosa.

– Doceniam pańską pomoc – powiedziałem.

– Nie ma sprawy.

Uścisnęliśmy sobie dłonie. Gdy wyszedłem ze szpitala, byłem wycieńczony. Zatrzymałem taksówkę i kazałem się zawieźć do Clapham. Taksówkarz zerknął na mnie w lusterku.

– Ciężka noc, co?

– Żebyś wiedział.

Długi czas potem natknąłem się na wiersz Anne Kennedy, pod tytułem *Instrukcje pogrzebowe*. Były tam takie słowa: „Nie chcę, by mnie skremowano, a moje ubrania odesłano w torbie do domu".

Gdy otworzyłem drzwi mieszkania, poczułem zapach domowego ciasta. Bri krzątała się w kuchni.

– Śniadanko za chwilę gotowe! – zawołała.

Padłem na krzesło, wykończony. Czułem zapach kawy, bardzo przyjemny. Jak zawsze. Bri wniosła tacę. Były na niej

sok pomarańczowy

kawa

tost

ciastka czekoladowe.

Ciastka czekoladowe?

Wskazała na nie.

– Wiesz, co to jest? – spytała.

– Hm...

– Odlotowe ciasteczka. Z haszyszem. Nauczyłam się je robić w Amsterdamie. Jedz wolno – bo możesz nieźle odlecieć.

Zjadłem tosta, popiłem kawą, zastanawiając się, czy odlot jest mi potrzebny.

– Ty ich nie jesz? – spytałem.

– Och, nie, Mitch, wchodzą w reakcję z moim lekarstwem.

A niech to, pomyślałem.

Nieśmiało odgryzłem kawałek. Słodkie. Pomyślałem sobie, że jak nie podziała, to przynajmniej będę miał kopa po cukrze.

– Wyszedłeś kraść? – spytała Bri.

– Co?

– No przecież wiem, że przestępcy pracują w nocy.

– Rany, Bri, nie jestem żadnym przestępcą... mam legalną pracę.

Nie kupiła tego.

– Nie przeszkadza mi, że kradniesz, jeśli nie dasz się złapać – oświadczyła.

Zjadłem jeszcze kawałek odlotowego ciasteczka.

– Czy przed pójściem do więzienia nie popełniałeś już różnych przestępstw?

Nie ma co zaprzeczać.

By zmienić temat, opowiedziałem jej o Joem, wspomniałem nawet o róży.

– Czy on też kradł? – spytała.

Prawie straciłem panowanie nad sobą.

– Co ty ciągle z tym kradzeniem? Czy mogłabyś nie używać tego słowa?

– Czy pójdę z tobą na pogrzeb?

– O tak, jasne... dobrze by było.

– W co się ubiorę, Mitch?

– Hm... pewnie w coś czarnego.

Klasnęła w dłonie.

– Świetnie, wzięłam sukienkę Chanel z Selfridgesa, ale jeszcze nigdy nie było okazji, żeby ją włożyć.

– Wzięłam! – rzuciłem, starając się powstrzymać od sarkazmu.

– Zabroniłeś mi używać słowa „kraść".

Zmiotłem całe ciastko.

Poczułem, że odjeżdżam.

Jazz.

Słyszałem jazz. Orkiestra Duke'a Ellingtona grała *Satin Doll.*

Cholera, skąd się to wzięło? Wiedziałem, że nie śpię, ale nie byłem też całkiem przytomny. Próbowałem się poruszyć, lecz byłem za bardzo ospały. Niejasno zdawałem sobie sprawę z obecności Briony, którą widziałem kątem oka, ale obraz był zamazany. Z pewnością to nieistotne. Grunt, że rozpoznałem kolejną melodię. Tak, to była Billie Holiday z *Our Love Is Here to Stay.* Potem ścieżka dźwiękowa się zmieniła i to był Bruce Springsteen z *Darkness on the Edge of Town.* Potem stałem się wzmacniaczem, rozsadzały mnie dźwięki. Czułem, że wszystko się zamyka. Próbowałem zwinąć się w kłębek, a potem zasnąłem.

A przynajmniej myślę, że to był sen.

Wczesny ranek. Zadzwonił Norton. Poprosiłem, by znalazł mi kwaterę na cmentarzu. W odpowiedzi rzekł:

– To będzie kosztować. Nie tylko pieniądze. Potrzebuję twojej pomocy.

– Słucham.

– Rundka po Brixton. Żaden z chłopaków się do tego nie pali.

– O rany, zbieranie tam forsy to przecież bułka z masłem.

– Jutro wieczorem, Mitch, przyjadę po ciebie.

Gdy Norton przyjechał po mnie nazajutrz wieczorem, był zdenerwowany.

Wsiadłem do furgonetki, a on powiedział:

– Mam ten grób, tu jest kontakt.

Dał mi karteczkę z adresem.

– Dzięki, Billy, doceniam to.

Rozejrzałem się po furgonetce.

– Nie ma red bulla? – spytałem.

– To nie taki występ.

– A jaki?

– Może być niebezpiecznie, raczej się nie zabawimy. Wchodzimy, zgarniamy szmal, dzielimy się.

Brixton tętniło życiem. Na ulicach przewalały się tłumy. Prawie jak w karnawale.

– Rany, czy ktoś w ogóle będzie w domu?

Norton pokiwał ponuro głową.

– Taaa, kobiety... W sobotni wieczór faceci się szwendają, a kobiety są przyklejone do teleturniejów.

Zaparkowaliśmy w pobliżu wieżowca przy Coldharbour Lane. Norton podał mi torbę sportową.

– Kij bejsbolowy. Słuchaj, jak zrobi się ciężko, to szybko spieprzaj, dobra?

– Jasne.

Wysiedliśmy, minęliśmy kontener na śmieci i weszliśmy do budynku.

W pierwszych kilku mieszkaniach poszło nieźle. W dwóch z nich Norton zebrał forsę, w innych zarekwirował książeczki opłat za mieszkania. Zeszliśmy na drugie piętro. Norton rzucał się jak kot.

– Co jest? – spytałem. – Przecież dobrze idzie, nie?

Wciąż rozglądał się wokół.

– Jeszcze tam nie dotarliśmy – powiedział.

Wyszliśmy z mieszkania na drugim piętrze, Norton z przodu, ja za nim. Na zewnątrz stało sześciu czarnych mężczyzn ubranych w czarne garnitury, białe koszule, wyglansowane czarne buty. Jeden stał na przodzie, pozostali w szyku bojowym za nim.

– Kurwa – mruknął Norton.

– Nie jest dobrze? – spytałem.

– Wiejemy! – wrzasnął.

I rzucił się biegiem na złamanie karku. Ja nie ruszyłem się z miejsca. Nie z powodu brawury, ale dlatego, że sądząc po wyglądzie tych kolesi, złapaliby mnie bez trudu.

Upuściłem kij.

– Nie będę tego potrzebował, prawda, chłopaki?

Ten główny lekko się uśmiechnął.

– Kim jesteście? Nacja Islamska?

Wiedziałem o Nacji z więzienia i, co ważniejsze, wiedziałem, że z nimi nie przelewki.

Ostatnie pytanie, jakie zadałem, brzmiało:

– To będzie bolało, prawda?

Pierwszy cios złamał mi nos. Mógłbym opisać bicie jako

brutalne

a nawet

bestialskie.

I odbywało się w milczeniu. Gdy mnie obrabiali, nie wypowiedzieli ani słowa. Prawdziwi profesjonaliści. Gdy skończyli, bezgłośnie odmaszerowali. Miałem ochotę zawołać: Tylko na tyle was stać?

Ale usta mi nie działały. Dwóch z nich wróciło; dźwignęli mnie, wynieśli na zewnątrz i wrzucili do kontenera na śmieci. Na jakiś czas straciłem przytomność. Wreszcie udało mi się stamtąd wygramolić i upadłem na ziemię. Dokuśtykałem do posterunku i znów zemdlałem. Zanim przyjechała karetka, ktoś ukradł mi zegarek.

Ocknąłem się w szpitalu St. Thomas, nade mną stał doktor Patel.

Pokręcił głową i powiedział:

– Ludzie, ależ wy macie barwne życie.

Boże, jak ja byłem skatowany. Bolało mnie całe ciało.

– Jak bardzo jest źle?

– Ma pan złamany nos, ale pewnie o tym pan wie.

Skinąłem głową. Duży błąd, bolało jak skurwysyn.

– Nic więcej nie jest złamane – ciągnął dalej – lecz jest pan strasznie potłuczony. Ktokolwiek to robił, działał świadomie. Maksimum bólu przy minimum złamań.

Poprosiłem, żeby przeszukał moje kieszenie i odnalazł adres potrzebny do znalezienia grobu dla Joego. Zrobił, o co prosiłem.

– Może pan się tym zająć? – spytałem.

– Tak, oczywiście.

– Kiedy mogę wyjść?

– Musi pan odpocząć.

Ustaliliśmy, że wyjdę rano; zaopatrzy mnie w środki przeciwbólowe, żebym przetrwał najbliższe dni. Leżąc, uświadomiłem sobie, że Joe prawdopodobnie też jeszcze tu jest. Przynajmniej dotrzymywałem mu towarzystwa. Chociaż nie tak, jak to sobie zaplanowałem.

W niedzielę rano, w drodze do domu, poprosiłem taksówkarza, by się zatrzymał pod sklepem monopolowym.

– Czy mógłby mi pan kupić butelkę irlandzkiej whisky?

Uznałem, że dałbym radę wysiąść z taksówki. Nie byłem jednak pewien, czy byłbym w stanie wsiąść z powrotem. Skinął głową. Gdy podawałem mu pieniądze, spytał:

– Potrącił pana autobus?

– Czarny autobus.

– Taki jest najgorszy. Jakaś konkretna marka whisky?

– Black Bush.

– Dobry wybór.

Wrócił po chwili, podał mi butelkę.

– Niech pan weźmie epsomit i gorącą kąpiel.

– Tak zrobię, dzięki.

W domu poruszałem się jak kaleka, wziąłem coś przeciwbólowego. „Proszę nie łączyć tego z alkoholem", ostrzegał doktor Patel.

Taa, jasne. Odkręciłem butelkę, pociągnąłem z niej duszkiem. Hejże, poczułem kopa, jakby muł wierzgnął. I to muł bardzo narowisty. Włączyłem radio. *Sorry* Tracy Chapman. Pasuje. Napuściłem wrzącej wody do wanny. Golnąłem sobie jeszcze trochę busha.

Godzinę później, rozpalony kąpielą i alkoholem, zupełnie nie czułem bólu. Znalazłem wełniany szlafrok i się nim owinąłem. Miał jakiś monogram, ale wzrok zachodził mi mgłą i nie mogłem go odczytać. Rozległ się dzwonek u drzwi. Powłócząc nogami, poszedłem otworzyć.

Norton, wyglądał na zmieszanego.

– Jezu, co oni z tobą zrobili?

– Coś najgorszego.

Spojrzał na szlafrok, ale nie skomentował.

– Mogę wejść? – spytał.

– Czemu nie.

Spojrzał na opróżnioną do połowy butelkę.

– Balujesz?

Zignorowałem to, podszedłem do sofy i opadłem na nią.

– W lodówce jest piwo – powiedziałem.

– Dzięki, chyba się napiję.

Otworzył puszkę, siadł naprzeciw mnie.

– Przepraszam, Mitch – usprawiedliwił się. – Myślałem, że biegniesz za mną.

– Nie biegłem.

Teraz spróbował grać oburzonego.

– A co ci mówiłem? Mówiłem, żebyś wiał, jak się zrobi groźnie.

– Widocznie zapomniałem.

Wziął długiego łyka.

– Nie martw się, Mitch, dorwiemy ich, co?

Byłem zbyt ululany, żeby czuć złość. Zostawmy to na później. Rzucił forsę na stół.

– Przynajmniej dostałeś zapłatę, okej, stary?

– Okej.

Starając się przybrać przyjazny ton, spytał:

– A co to za inna praca, którą znalazłeś?

Opowiedziałem mu wszystko, nawet o błyskawicznych ruchach kamerdynera.

– Tak gadasz, jakby cię kręciła ta pani starsza.

– Nie gadaj bzdur.

– Opowiedz mi jeszcze o tym rolls-roysie.

Może to przez alkohol, lecz opowiedziałem mu o wiele za dużo. Powinienem był zauważyć ten błysk w jego oczach. Ale, jak mówiłem, wzrok miałem zamglony jak diabli.

– Brzmi zachęcająco.

– Co?

– Warto by zrobić skok.

– Ej!

– Daj spokój, Mitch, jak za starych czasów. Na pewno jest tam mnóstwo kasy, biżuterii, obrazów.

Zerwałem się na nogi. W szlafroku nie przedstawiałem się zapewne zbyt imponująco.

– Nie ma mowy, Billy – oświadczyłem. – Jak myślisz, kogo gliny zgarnęłyby na wstępie?

– Tak tylko sobie pomyślałem. To ja już pójdę.

Przy drzwiach powiedziałem:

– Mówię poważnie, Billy, trzymaj się od tego z daleka.

– Jasne, Mitch, jak Bozię kocham.

Wróciłem na kanapę. Wypatrzyłem resztkę busha. Sen zmorzył mnie, zanim zdążyłem sięgnąć po butelkę. Ucieszyłem się z tego, gdy obudziłem się w poniedziałek rano. Byłem poturbowany i wypluty, ale czułem, że dam radę zwlec się do pracy.

Zadzwonił telefon. Doktor Patel. Załatwił formalności pogrzebowe, lecz nie wiedział, czy ma zamówić nabożeństwo.

Powiedziałem, że nie. Joe miał zostać pochowany we wtorek wieczorem. Podziękowałem mu i odłożył słuchawkę.

Metro nawaliło i musiałem pojechać autobusem. Na Holland Park znów poczułem się jak w innym świecie.

Gdy zbliżyłem się do drzwi frontowych, otworzył je Jordan. Przyjrzał mi się z dezaprobatą.

– Wypadek? – spytał.

– Wyczerpująca praca.

– Nie może pan wejść tędy.

– Słucham?

– Wejście dla służby jest od tyłu.

Wymieniliśmy spojrzenia.

Wszedłem tylnym wejściem do kuchni. Wyglądała zupełnie jak ta ze *Służącego* Loseya. Niestety nie spodziewałem się znaleźć Sarah Miles na stole kuchennym.

– Herbata... kawa? – spytał Jordan, gdy wszedł po chwili.

– Może być kawa.

Zaczął przygotowywać filtry.

– To będzie prawdziwa kawa?

Uśmiechnął się pod nosem i machnął ręką w stronę kredensu.

– Tam są musli, płatki kukurydziane, tosty. Wedle uznania.

Skinąłem głową. Odwrócił się twarzą do mnie.

– A może jest pan bardziej przyzwyczajony do owsianki? – spytał.

Teraz przyszła moja kolej na uśmieszek.

– Jest pan jedyną osobą ze stałego personelu?

– Pani nie życzy sobie więcej osób.

Ekspres zapyrkotał. Kawa naprawdę nieźle pachniała. Jednym z większych rozczarowań życia jest to, że kawa nigdy nie smakuje tak dobrze, jak pachnie.

Wziąłem kubek, spróbowałem.

– Cholera, ale dobra – powiedziałem.

Wzniósł palec do góry.

– Pani nie pozwala przeklinać w domu.

– Może nas słyszeć?

Brak odpowiedzi. Wyjąłem dwa środki przeciwbólowe, popiłem je kawą.

– Boli pana?

– Chyba to pana nie obchodzi.

Wyszedł z kuchni. Wrócił z jakimiś saszetkami.

– Proszę rozpuścić jedną w wodzie, działają cuda.

Nie miałem nic do stracenia, wziąłem szklankę, rozdarłem saszetkę, dolałem wody. Płyn poróżowiał.

– Ładny kolor – powiedziałem.

– Pani dostaje je ze Szwajcarii.

Wypiłem, miało słodkawy, ale całkiem przyjemny smak.

– Miło się gawędzi, lecz wezmę się już do pracy – oznajmiłem.

– Po to pan tu jest, nieprawdaż?

W garażu znów podziwiałem rolls-royce'a. Wiele bym dał za przejażdżkę. Trochę się namęczyłem przy wkładaniu kombinezonu. Nos bolał jak cholera. Sprawdziłem rozpiskę.

Poniedziałek – malowanie

Już się robi.

Ramom okiennym i okiennicom na ścianie frontowej na pewno przyda się nowa warstwa farby. Wyjąłem drabinę i zacząłem mieszać farbę.

Po półgodzinie poczułem ulgę. Ból, który bezustannie targał całym ciałem, odpłynął.

– Niech Bóg ma w opiece Szwajcarię – powiedziałem głośno.

Jednym z najcenniejszych przedmiotów w więzieniu jest walkman. Walkman i ochroniarz. Wkładasz słuchawki i się wymykasz. Nierozsądnie byłoby to robić na spacerniaku. Tam nie można sobie pozwolić na mniej niż sto procent czujności.

Gdy tylko przystawiłem drabinę do ściany, włożyłem słuchawki walkmana.

Na taśmie miałem Mary Black. Zaczęło się od *Still Believing*, dziwnych modlitw w dziwnych miejscach.

Uwierz w to.

Wszedłem w rytm pracy i nie zauważyłem, że jestem przy oknie sypialni. Zobaczyłem łóżko z baldachimem. Potem ona znalazła się w zasięgu wzroku, miała na sobie jedwabny szlafrok. O rany, chyba będzie lepiej, jak się stąd zmyję, pomyślałem.

Nie ruszyłem się z miejsca. Zdjęła szlafrok. Całkiem naga. Miała świetne ciało. Stanął mi. Potem zaczęła się powoli ubierać. Czarne pończochy i jedwabna bielizna. Spojrzała w górę, w kącikach ust błąkał się uśmiech. Zszedłem po drabinie, rozpalony. Mary Black śpiewała *Bright Blue Rose*, ale nie mogłem się skoncentrować. Przesunąłem drabinę do innego okna, zacząłem nad nim pracować.

Nie widziałem jej przez resztę dnia, ale usadowiła się w moim umyśle jak rozżarzony kawałek węgla. Nadeszła pora lunchu i udałem się do kuchni. Kanapki były starannie ułożone na talerzu. Obok nich stała miseczka z owocami. Z domu nie dobiegały żadne dźwięki. Zjadłem w ciszy i wyszedłem na zewnątrz, by zapalić.

Jordan nadszedł od frontu domu.

– Nie robi pan zbyt wiele hałasu – zauważyłem.

– Nie, to zbyteczne.

Spróbuj zaprzeczyć. Nie zrobiłem tego.

Pomyślałem „pieprzyć go" i skoncentrowałem się na szlugu. Stał i mi się przyglądał. Potem powiedział:

– Dobrze wykonał pan pracę.

– Cieszę się, że jest pan zadowolony.

Znów milczenie. Uznałem, że pozwolę mu samemu drążyć dalej.

– Podoba się tu panu? – spytał.

– Co? A, tak. Jest inaczej.

– Chciałby się pan tu wprowadzić?

– Przyjść ponownie?

– Nie w głównym budynku, ale nad garażem jest pokój, trochę spartańsko urządzony, lecz wygodny. Oczywiście z telewizją i prysznicem.

– Mówi pan poważnie? – spytałem.

– Nie musiałby pan dojeżdżać.

Nie chciałem zamykać sobie żadnych drzwi. Gdyby układ z Clapham się skiepścił, fajnie byłoby mieć jakieś inne możliwości.

– Muszę się zastanowić – powiedziałem.

Jak gdyby czytał w moich myślach, dodał:

– Być może mógłby pan też kierować silver ghostem.

Gdy wróciłem do Clapham, szwajcarski lek przestał działać i byłem zmaltretowany. Przed moim domem stało zaparkowane bmw. Z przyciemnianymi szybami. Drzwi się otworzyły, Norton wysiadł i powiedział:

– Ktoś chce się z tobą spotkać.

– Teraz? – warknąłem

Nie potrafiłem ukryć irytacji. Norton mnie uciszył. Kurewsko lubię być uciszany.

– To szef, przyjechał spotkać się z tobą osobiście.

– O rany.

Z samochodu wysiadł jakiś wielki facet. Był w kaszmirowym płaszczu, miał kruczoczarne włosy i ospowatą twarz. Niedbały sposób bycia człowieka, który ma władzę. Od strony kierowcy wysiadł jeszcze większy gość. Mięśniak.

– Panie Gant, to jest Mitch – odezwał się Norton.

Wyciągnął rękę, uścisnęliśmy sobie dłonie.

– Dużo o tobie słyszałem... Mitch – powiedział.

– Panie Gant... ja o panu nie słyszałem wcale.

Spojrzał na Nortona i wybuchnął śmiechem. To był ten typ śmiechu z odrzuceniem głowy do tyłu i mnóstwem zębów na wierzchu.

– Może wejdziemy do środka? – zaproponował Norton.

Otworzyłem drzwi, wpuściłem ich. Gant rozejrzał się uważnie dokoła, po czym oświadczył:

– Nie masz automatycznej sekretarki.

– Nie.

Pstryknął palcami na Nortona.

– Zajmij się tym – polecił.

– Chcę się napić piwa. Chcecie coś?

Norton i goryl pokręcili głowami. Gant powiedział, że napije się ze mną piwa. Poszedłem po nie, łyknąłem środki przeciwbólowe.

– Mogę usiąść? – spytał Gant.

– Pewnie.

Zdjął płaszcz, podciągnął rękawy. Tatuaż Królewskiej Marynarki Wojennej. Pił piwo z butelki. Ot, jak zwykły koleś po pracy.

Zacząłem skręcać papierosa.

– Mógłbym dostać jednego?

Podałem mu papierosa, przypaliłem. Zaciągnął się mocno.

– Niewiele palę, ale powiem ci, że to jest to.

Skinąłem głową, domyślając się, że wkrótce przejdzie do rzeczy.

– Co to za tytoń?

– Golden Virginia.

Znów pstryknął palcami na Nortona.

– Zamów partię dla Mitcha.

Uświadomiłem sobie, kogo Gant mi przypomina. W cyklu książek Lawrence'a Blocka o Matcie Scudderze pojawia się niejaki Mick Ballou. Rzeźnik, który bezlitośnie rozprawia się ze swoimi wrogami. Jednocześnie jest zwykłym pracującym facetem, który uwielbia napić się piwka z chłopakami.

Błędem jest myśleć, że mógłby być jednym z nich.

Gant pochylił się, w tonie męskiej rozmowy zagaił:

– Świetnie sobie poradziłeś w Brixton.

Z trudem powstrzymałem się przed dotknięciem swojego złamanego nosa.

– Trzeba mieć jaja, żeby postawić się sześciu gościom.

Starałem się przybrać skromny wygląd. Co jest dość trudne ze zmasakrowaną twarzą.

– Taki facet jak ty jasno daje coś do zrozumienia. Dlatego chcę powierzyć ci kontrolę nad wieżowcem w Peckham.

Zerknąłem na Nortona. Miał beznamiętny wyraz twarzy.

– To dla mnie zaszczyt, ale na razie jeszcze się uczę. Wolałbym na razie połazić z Billym, nabrać praktyki.

Uśmiechnął się szeroko.

– Świetnie. Chciałbym jednak wynagrodzić pracowitość. Mam dla ciebie specjalną niespodziankę, chłopcze.

– Tak?

– Masz czas w środę?

– Jasne.

– Doskonale. Billy zgarnie cię koło siódmej. Nie rozczarujesz się.

Wstał, interesy zostały załatwione. Gdy był już przy drzwiach, spytałem:

– Słyszał pan kiedyś o Micku Ballou?

– O kim?

– To postać z takiej jednej powieści.

– Nie czytam książek.

Wyszli.

We wtorek czułem się już trochę lepiej. Poszedłem do pracy. Nie widziałem ani Jordana, ani Lillian. Wejście dla służby było otwarte, jedzenie dla mnie stało na stole. Wziąłem się do roboty i porządnie pracowałem. Upiornie było tak nikogo nie widzieć.

Gdy nadeszła pora lunchu, przeszedłem się do Notting Hill Gate. Chciałem po prostu zobaczyć jakichś ludzi. Wszedłem do Devonshire, zamówiłem piwo i chleb z serem i marynowanymi warzywami. Zająłem miejsce przy oknie, obserwowałem okolicę. Naprzeciwko siedział hipis w T-shircie z napisem „John żyje, Yoko jest do dupy".

To był typek w stylu Portobello. Długie włosy w strąkach, marne zęby. Usmażył sobie mózg w latach sześćdziesiątych, od tej pory nie stanął twardo na ziemi. Trzymał bardzo zniszczony egzemplarz *Beowulfa*[*].

Pokazał mi pacyfkę. A przynajmniej tak mi się zdawało. Stał przed nim kufel guinnessa.

– Jesteś robotnikiem – powiedział.

– To widać, nie?

– Po rękach, stary. Dobry, uczciwy znój.

Uznałem, że niezły byłby z niego sędzia. Skinąłem głową.

– Bohater klasy robotniczej, stary.

– Tak myślisz?

– Stary, John to wszystko powiedział. Dasz zapalić?

Dałem mu skręta.

– Spoko – rzucił.

Musiałem się już zrywać.

– Trzymaj się – powiedziałem.

– Stary, chcesz kupić zegarek?

– Nie.

– To rolex, prawdziwy.

– Nie zależy mi na prestiżu.

– Mnie też nie, ale trzeba spróbować, nie?

Miałem na to wiele odpowiedzi, lecz rzekłem:

– Wystarczy, że to sobie wyobrażam[**].

Ubawiłem go.

⁂

[*] Epicki poemat heroiczny nieznanego autora, jedno z najstarszych dzieł literatury staroangielskiej.

[**] Aluzja do *Imagine*, tytułu piosenki Johna Lennona.

Skończyłem pracę o czwartej, wokół nadal nie było żywej duszy. Uznałem, że:

a) Ufają mi.

b) Testują mnie.

W każdym razie nic nie ukradłem.

Prawdę mówiąc, posiedziałem trochę w silver ghoście. Pogrążyłem się w szaleńczych marzeniach. Samochód pachniał

wyglansowaną tapicerką

dębiną

starą skórą

bogactwem.

Gdy szedłem podjazdem, obróciłem się szybko i spojrzałem na dom. Zauważyłem, że w sypialni poruszyła się firanka.

Uśmiechnąłem się.

Gdy dotarłem do Gate, wszedłem do sklepu Oxfamu i znalazłem ciemny garnitur. Prawie dobrze leżał. Wolontariuszka przy kasie powiedziała:

– O, dobrze się panu trafiło.

– Niezupełnie, szukałem tego.

Ale trafił mi się egzemplarz starego wydania Penguina *As I Walked Out One Midsummer Morning* Lauriego Lee.

Jakiś facet sprzedawał „Big Issue" przed Burger Kingiem. Wziąłem egzemplarz i powiedziałem:

– Dziś wieczór jest pogrzeb jednego ze sprzedawców „Big Issue".

– Tak? Gdzie?

– Peckham.

– Nie mogę, stary, tam jest cholernie niebezpiecznie.

– Myślę, że doceniłby twój wysiłek.
– Nie żyje, dni jego doceniania minęły.

Wpadłem do domu na jakieś dwadzieścia minut.

Wziąłem prysznic
wypiłem piwo
wziąłem środki przeciwbólowe.

I po bólu.

Włożyłem garnitur z Oxfamu. Rękawy były przykrótkie, nogawki za długie, ale poza tym leżał jak ulał. Wyjąłem z szafy wykrochmaloną koszulę od Bossa. Pasowała doskonale.

Rozległ się dzwonek u drzwi.

Briony. Wyglądała olśniewająco w czarnym kostiumie.

– Wyglądasz olśniewająco – powiedziałem.
– Wiem.

Weszła i otaksowała mnie krytycznym spojrzeniem.

– Wyglądasz jak grabarz.
– Dzięki, Bri.

Pogrzebała w torebce, wyciągnęła świeżą różę.

– Może być?
– Świetnie.
– Dasz mi coś do picia?
– Jasne, co chcesz?
– Coś powalającego, wzięłam tylko dwa prochy.
– Black bush?
– Świetnie.

Stuknęła swoją szklanką w moją.

– Za Michaela – powiedziała.
– Kogo?

– Twojego przyjaciela.

– Joego.

– Jesteś pewien?

– Zaufaj mi, wiem to na sto procent.

– No dobra, to za Joego.

Wypiliśmy. Zadzwoniłem po taksówkę, przyjechała natychmiast. Rastafarianin: zapach trawki w samochodzie był bardzo mocny.

Gdy powiedziałem: „Peckham", odparł:

– Świetnie.

Cmentarz jest na tyłach dworca autobusowego. Po drugiej stronie ulicy mieści się sala do gry w bingo. Pomyślałem, że Joe będzie zadowolony, słysząc okrzyki z

FULL HOUSE

Grabarz już czekał. Grób był gotowy, obok stało dwóch mężczyzn. Bez księdza. Po chwili zjawił się jeszcze jeden mężczyzna.

– Doktorze Patel, jak dobrze, że pan przyszedł – powiedziałem i przedstawiłem go Bri. Trzymała jego dłoń dłużej, niż należało. Grabarz spytał:

– Czy ktoś wygłasza mowę pożegnalną?

Pokręciłem głową. Dał znak swoim ludziom i opuścili trumnę do dołu. Wrzuciłem do środka egzemplarz „Big Issue", a Bri różę. Nagle przy bramie pojawił się facet w paradnym szkockim stroju, z dudami i zaczął grać *The Lonesome Boatman.*

Nie wiem, czy to piękne, ale dudziarz był piękny.

– Niespodzianka – powiedziała Bri.

– Skąd go wytrzasnęłaś?

– Spod Selfridgesa, grywa tam regularnie.

– Dzięki, Bri.

Posłała mi zagadkowy uśmiech.

– A ja dziękuję za doktorka.

Ho-ho.

Wcisnąłem grabarzom forsę do ręki. Jeden z nich powiedział:

– Wiesz, że Rod Steward pracował kiedyś jako grabarz?

Co można odpowiedzieć na coś takiego?

– Śpiewasz? – spytałem.

– A gdzie tam, stary.

Ryknęli swojskim śmiechem. Potem zapłaciłem dudziarzowi.

Doktor Patel był pogrążony w rozmowie z Bri.

– Zwykle po pogrzebach odbywa się stypa. Czy dacie się zaprosić?

– Tak – odparli jednocześnie.

Opuściliśmy pieprzone Peckham i poszliśmy do pubu Charlie Chaplin przy Elephant. Najlepsze, co można o nim powiedzieć, to, że jest… duży.

Bri i doktor zajęli stolik, a ja poszedłem zamówić.

Barman wyglądał na wyposzczonego.

– Piękny garnitur – zaćwierkał z zachwytem.

– Stara rodzinna pamiątka.

W jego oczach pojawił się błysk, pomyślał: „wchodzi do gry", więc dodał:

– Nie pozbywaj się go.

– Za nic.

Mój dowcip się stępił. Zamówiłem

grzanki
grog z whisky
piwo na popitkę
frytki
orzeszki.

Gdy wreszcie przyniósł nam wszystko do stolika, wykrzyknął:

– *Voilà!*

Zaczęliśmy wcinać. Doktorek się nie certolił. Wypił gorącego drinka, popił piwem i wgryzł się w kanapkę. Bri poszła wrzucić pieniądze do szafy grającej i ogłuszyły nas dźwięki „Hey, if you happen to see the most beautiful girl...".

Nawet ja umiem to zaśpiewać.

– Doktorze, to wspaniale, że pan przyszedł.

– Proszę mi mówić Sanji.

– Spróbuję.

Roześmiał się, po czym dodał:

– Czy to będzie straszne, jak powiem, że dobrze się bawię?

– O to właśnie chodzi.

Wróciła Bri.

– To modna szafa – powiedziała, po czym zwróciła się do Sanjiego: – Urodziłeś się w Indiach?

– Tak, jestem z Goa. Poza niezłym ubawem i hipisami mamy tam też zmumifikowane szczątki świętego Franciszka Ksawerego.

Na naszych twarzach nie odmalował się chyba żaden wyraz, bo spytał:

– Nie jesteście katolikami?

– Nie jesteśmy nawet porządnymi ateistami.

Schrupał parę orzeszków i ciągnął dalej:
– Jego ciało nie uległo rozkładowi, uznaje się to za cud.
Nie wiedziałem, co na to rzec, więc milczałem.
– Ktoś ukradł jego duży palec u nogi.
– Co?
– Naprawdę. Gdzieś na świecie żyje sobie żarliwy wyznawca z palcem świętego Franciszka.
Nie mogłem się powstrzymać, pewnie przez ten grog z whisky, i powiedziałem:
– Czyż to nie katolickie: grozić innym palcem?
Uśmiechnął się, ale nie sądzę, by był rozbawiony. Bri przeprosiła i wyszła do łazienki. Sanji spojrzał na mnie badawczo i spytał:
– Czy mógłbym... umówić się z twoją siostrą?
Cholera jasna.
– Nie radzę.
– A jednak...
– I tak to zrobisz. Sanji, porządny z ciebie facet i bardzo cię lubię, ale ona nie jest dla ciebie.
– Czy pozwolisz mi spróbować?
– Czy mogę cię przed tym powstrzymać?
– Nie.
Wróciła Bri, a Sanji powiedział, że zamówi jeszcze jedną kolejkę.
– To samo, co poprzednio? – spytał.
– Może być.
Bri pochyliła się ku mnie.
– Kocham go.
– Jezu.
– Nie... naprawdę, Mitch, to moja bratnia dusza.

Ze złości, by przyciągnąć jej uwagę, spytałem:

– A co z Frankiem?

Obrzuciła mnie miażdżąco pogardliwym spojrzeniem.

– Frank nie żyje, Mitch. Im prędzej przyjmiesz to do wiadomości, tym lepiej dla nas wszystkich.

Wrócił Sanji, a ja poczułem, że na mnie już czas. Uścisnąłem jego rękę i powiedziałem:

– Na pewno się jeszcze zobaczymy.

Spojrzał na mnie z niepokojem, na wpół medycznym, na wpół hinduskim i powiedział:

– Będę traktował ją jak dżentelmen.

– Tak ci się tylko wydaje.

Gdy szedłem do drzwi, barman powiedział:

– Hej, ty, drętwusie, nie możesz już iść.

– Już się wyszalałem.

Położył rękę na biodrze, przewrócił oczami.

– Mmmm. Co za twardziel.

Gdy wyszedłem, zatrzymałem taksówkę i postanowiłem, że w następnym tygodniu kupię samochód.

Po przyjściu do domu miałem ochotę natychmiast się walnąć spać.

Włączyłem telewizor. Właśnie zaczynał się *Zbieg z Alcatraz.*

Gdy pojawił się Lee Marvin w garniturze całkiem podobnym do mojego, powiedziałem:

– Ho, ho, to dopiero twardziel.

W środę lało jak z cebra. Ale i tak poszedłem do pracy. Jordan był w kuchni, obrzucił mnie krytycznym spojrzeniem.

– Pańskie rany się goją.

– Tak pan sądzi?

– Tak się wydaje.

Zen czy co?

Niektóre odpływy były zatkane, spytał, czy mogę coś z tym zrobić.

– Jasne – powiedziałem.

Co za cholerstwo. Udrożnienie ich zajęło mi cały dzień. Około czwartej, gdy leżałem na ziemi, pracując nad rynną pod okapem, a brudna woda kapała mi na twarz, zjawiła się ona. Ubrana w czerwoną sukienkę z dzianiny podkreślającą jej kształty.

– O, to widok miły mym oczom: mężczyzna na plecach.

Skończyłem tę cholerną robotę i się podniosłem. Podeszła i stanęła tuż przy moim ramieniu. Znów z tym znaczącym uśmieszkiem. Nie wiem, czy to przez pogrzeb Joego, moje pobicie, chemię czy czyste szaleństwo.

Ale chwyciłem ją, przyciągnąłem do siebie i pocałowałem. Najpierw się wyrywała, potem przywarła do mnie. Włożyłem jej język w usta, rękami chwyciłem za tyłek, zatraciłem się. Zaczęło lać, odsunęła się i powiedziała:

– Mam nadzieję, że będziesz mógł skończyć to, co zacząłeś.

I odeszła.

Stałem w deszczu, ze wzwodem, i przypomniałem sobie o środowym wieczorze… niespodzianka pana Ganta. Wróciłem do garażu. Właśnie ściągałem z siebie przemoczony kombinezon, gdy zjawił się Jordan.

– Zajęliśmy się już pokojem nad garażem. Jest gotów.

– Cholera, sam nie wiem.

– Jest tam prysznic, czysty dres… proszę skorzystać.

Tak też zrobiłem.

To było jednopokojowe mieszkanie:

łóżko

prysznic

kuchenka.

I rany, mnóstwo świeżych, luksusowych ręczników. Więzień dostaje jeden ręcznik na tydzień.

Wziąłem gorący prysznic, a gdy spod niego wyszedłem, zauważyłem małą lodówkę pod telewizorem napakowaną piwem. Otworzyłem grolscha i wypiłem duszkiem.

Łóżko było świeżo zaścielone i kusiło mnie, by się tam położyć. Ale czekała na mnie niespodzianka pana Ganta.

Dres był nowy, czarny, duży, z logo:

COMPLIMENTS OF CLARIDGE'S

Czas iść.

Wychodząc, spotkałem Jordana, który powiedział:

– Pani Palmer wyraziła… zadowolenie z pana… pracy.

– Postaram się ją zadowolić.

To przez grolscha. Uśmiechnął się smutno.
– Niechaj to będą mądre starania.

Z Northern Line jak zwykle były hocki-klocki i nie zdążyłem dojechać do domu przed siódmą. Samochód Ganta stał zaparkowany przed wejściem. Drzwi się otworzyły i Norton powiedział:

– Jesteśmy już spóźnieni, wsiadaj.

Mięśniak kierował, więc ja i Billy siedzieliśmy z tyłu.

– Gdzieś ty się, kurwa, podziewał? – spytał.

– Hej, Billy, wyluzuj. Byłem w pracy.

Spojrzał na dres.

– Pracujesz w hotelu Claridge?

– Tylko w charakterze konsultanta.

Był bardzo podminowany, czoło pokrywała mu warstewka potu. Odpalał jednego papierosa od drugiego.

– Co to za niespodzianka? – spytałem.

Coś niewyraźnie mruknął, a potem odparł ponuro:

– Sam, kurwa, zobaczysz.

Podjechaliśmy do New Cross i zatrzymaliśmy się przed starym magazynem.

– Czy to nie dawna ubojnia?

Norton spojrzał na mnie znacząco. Wysiedliśmy i weszliśmy do środka.

– Jesteśmy w piwnicy – powiedział Norton.

– Nie wiedziałem, że to schodzi pod ziemię.

– Tu jest wiele pieprzonych niewiadomych, stary.

Zeszliśmy na dół.

Cuchnęło zgnilizną, szczynami i beznadziejnym smutkiem. Znałem ten zapach. Na dole byli Gant i dwóch facetów. Stali wokół mężczyzny przywiązanego do krzesła. Czarnego mężczyzny. Usta miał zaklejone srebrną taśmą. Wyciekała spod niej krew, więc wiedziałem, że wybili mu zęby. Sygnatura południowo-wschodniego Londynu.

Czarny mężczyzna miał na sobie bluzę Nike, całą przepoconą. Płócienne spodnie od Gapa były przemoknięte tam, gdzie się zsikał. Gant był ubrany w płaszcz od Barbour, jasnobrązowe sztruksy. Automatycznego browninga trzymał z boku jakby mimochodem.

– Ach, Mitch, cieszę się, że mogłeś do nas dołączyć – odezwał się.

Oczy czarnego były wybałuszone, wpatrzone we mnie, miały błagalny wyraz.

– Jak wspomniałem, doceniam to, że samotnie stawiłeś czoło... opiekunom. Więc teraz daję ci jednego z nich na znak mojej wdzięczności.

Wziąłem głęboki oddech i powiedziałem:

– To nie jest jeden z nich.

Gant prawie wybuchnął, spojrzał na Nortona, potem na czarnego. A następnie powoli powrócił wzrokiem do mnie. Jego oczy przypominały czarne kamienie.

– Skąd możesz wiedzieć? Przecież oni wszyscy wyglądają tak samo.

– Panie Gant, zapamiętuje się tego, kto bije z niebywałą precyzją.

Wziął zamach nogą i zmiażdżył kolano czarnego mężczyzny. Odwrócił się do Nortona.

– Coś ty zrobił, kretynie, zgarnąłeś pierwszego czarnucha, jaki się nawinął?

Norton nic nie odpowiedział. Gant z trudem odzyskał panowanie nad sobą, potem wzruszył ramionami.

– A co mi tam – rzucił i strzelił czarnemu w głowę.

Odgłos strzału odbił się echem w magazynie i słowo daję, że słyszałem trzepot skrzydeł odlatujących w przestrachu gołębi.

– Bardzo mi przykro, Mitch, że zmarnowałem twój czas – powiedział Gant.

W głowie kłębiły mi się tysiące myśli, ale postanowiłem zachować pokerową twarz.

– Nie wszystko stracone, panie Gant.

Próbując powstrzymać się od sarkazmu, odparł:

– Naprawdę?

– A może by zrobić tak: Zostawia pan faceta na krześle, dostarcza go pan, tak jak jest, do budynku w Brixton, a na nim wiadomość.

– Wiadomość?

– Jasne. Może: „Pożyczyłeś? To teraz spłać dług".

Na usta Ganta wpełzł uśmieszek, który zamienił się w szeroki uśmiech.

– Genialne, podoba mi się. Norton, dostarcz towar.

Norton wyglądał na maksymalnie wkurzonego.

– Panie Gant, to może być trudne.

Gant tylko zmierzył go wzrokiem.

Potem podszedł do mnie, objął ramieniem i powiedział:

– Panie Mitchell, chyba pana nie doceniałem.

Przybrałem skromną minkę. Potem cofnął się o krok i dodał:

– Wielkie nieba, przepiękny ten dres.

*
**

W czwartek rano zmierzam do pracy, nos mnie boli jak cholera. Stanowczo nie zamierzam analizować zdarzeń poprzedniego wieczoru.

John del Vecchio, *The 13th Valley* – „Nic nie zamierzam, jadę dalej".

Udaję, że tak jest.

Oczywiście jest kolejka i każdy płaci czekiem albo kartą. Nie mam biletu tygodniowego, bo wkrótce już kupię samochód.

Przede mną stoi starszy pan, który jest zdumiony tym opóźnieniem. Wreszcie udaje nam się dostać bilety i przechodzimy przez kołowrót bramki. Nagle portfel starszego mężczyzny wysuwa się z kieszeni.

Gruby portfel.

Widziany tylko przeze mnie i kontrolera biletów.

Następuje chwila, zawieszona na cudowną sekundę, podczas której instynkt bierze górę nad przekonaniami. Schylam się, podnoszę zgubę i mówię:

– Proszę pana, chyba pan to upuścił.

Kontroler biletów patrzy mi w oczy, potem dotyka czubkiem palca wskazującego czapki. Starszy pan jest zdziwiony i zachwycony.

Zbywam jego wdzięczność wzruszeniem ramion. Znam siebie bardzo dobrze. Gdy leżysz na pryczy przez dwanaście godzin przymusowego zamknięcia w celi, zaglądasz w głębiny. Gdyby kontroler tego nie widział, zatrzymałbym portfel, spokojna głowa.

Wsiadam do wagonu, sadowię się w rogu, zamierzam włączyć walkmana. Mam *Dance me to the End of Love* Leonarda Cohena i *Famous Blue Raincoat*. Gotowe do włączenia.

Tamten starszy pan siada obok mnie.

– Przepraszam, że panu przeszkadzam, ale chciałbym jeszcze raz wyrazić swoją wdzięczność – mówi. Jego akcent jest jeszcze bardziej afektowany niż Margaret Thatcher, gdy nakładała podatek pogłówny.

Kiwam głową. Zachęcony, mówi:

– Muszę opowiedzieć panu niezwykłą historię. A propos tego, co się właśnie wydarzyło, ma to określony wydźwięk.

Każdy cwaniak w Londynie ma jakąś opowieść. Życzyłbym sobie, żeby nie musieli ich opowiadać w metrze. Ale on już zaczyna:

– Kazano mi dać do badania próbkę moczu!

Tu przerwał, jakby sprawdzając, czy wiem, co to jest mocz.

– Ponieważ miałem problemy z oddaniem moczu w szpitalu, powiedziano mi, że mogę przygotować próbkę w domu.

Usiłowałem przybrać taki wyraz twarzy, jakbym łowił każde jego słowo.

– Ale w czym ją zanieść, drogi chłopcze?

Mogłem go olać, ale powiedziałem:

– Skomplikowana sprawa.

– Wziąłem więc butelkę po whisky Johnnie Walker.

Jeśli oczekiwał pochwały, to się nie doczekał. Ciągnął dalej:

– Po drodze wpadłem na pocztę, by odebrać emeryturę.

– Hm.

– Gdy wyszedłem stamtąd, butelka zniknęła. Niezłe, co?

Dojechaliśmy do Embankment i musiałem się przesiąść na Circle Line.

– Niech pan to trzyma w spodniach, dobra? – powiedziałem.

Uśmiechnął się, choć trochę niepewnie.

Piątek spędziłem na dachu. Wymagał poważnych napraw i postanowiłem powiedzieć o tym Jordanowi.

– Jesteśmy przekonani, że przetrwa kolejną zimę.

– Więc mam się nim nie zajmować?

Uśmiechnął się ospale i odparł:

– Proszę naprawić najbardziej rażące zniszczenia, nie chcemy, by pani przemokła.

Uznałem, że mogę rozwiązać ten problem według własnego uznania. Po dniu kosmetycznych napraw miałem zawroty głowy. Postanowiłem wziąć prysznic i strzelić sobie piwko. Nie czekał na mnie nowiutki dres. Muszę przyznać, że byłem odrobinę rozczarowany.

Mój pierwszy pełny tydzień, jeśli nie uczciwej, to przynajmniej regularnej pracy.

Zjawił się Jordan, podał mi kopertę.

– Uznaliśmy, że woli pan gotówkę.

– Dobry ruch, Jord.

Nie odchodził. Miałem ochotę powiedzieć: „Odmaszerować!". Ale spytałem tylko:

– Co jest?

– Nie zamierza pan przeliczyć?

– Ufam ci, stary.

Strzepnął pyłek z klapy uniformu.

– W takim razie popełnia pan poważny błąd.

Przeliczyłem forsę.

– O cholera, to za tydzień czy miesiąc?

Uśmiechnął się. Nie żebym nie posiadał się z radości, lecz byłem całkiem zadowolonym byłym więźniem.

– Słuchaj, Jordy, chętnie postawię ci dużego drinka w pobliskim pubie.

Pauza, a potem:

– Nie bratam się z pracownikami.

Miałem nadzieję, że choć na chwilę ujrzę Lillian, ale nic z tego. W metrze rozważałem plan na weekend. Miły i prosty, odnaleźć dwóch gnojków, którzy skopali Joego na śmierć. O ósmej wieczorem skończyłem curry i piłem kolejne piwo z sześciopaku.

Zadzwonił telefon.

– Tak?

– Panie Mitchell... mówi Gant. Mam nadzieję, że panu nie przeszkadzam.

– Nie, proszę pana, odpoczywam sobie.

– Porządny z ciebie gość, Mitch... mogę tak się do ciebie zwracać?

– Jasne.

– Nie masz jakichś negatywnych uczuć związanych z poprzednim wieczorem?

– Nie, proszę pana.

– Mogę cię o coś spytać?

Zastanawiałem się, czemu pieprzy jak potłuczony, ale to on płacił.

– Proszę strzelać – powiedziałem.

– A to dobre, bardzo na czasie. Pytanie brzmi: co uważasz za rzecz najbardziej cenną?

– Rany, nie wiem. Pewnie forsę... seks... telewizję cyfrową.

– Chodzi o władzę, Mitch, a najbardziej skutecznym narzędziem władzy jest informacja.

– Do czego pan zmierza?

Chyba do tego, by mnie zanudzić na śmierć.

– Chcę się podzielić z tobą pewnymi informacjami.

– Słucham, proszę pana.

– Nie przez telefon. Zarezerwowałem stolik na ósmą w Browns, jutro wieczorem.

– Browns?

W Covent Garden.

– Okej.

Rozłączył się. Całe to „proszę pana" pozostawiło gorzki smak w moich ustach i poszedłem je przepłukać. Nie przychodziła mi do głowy żadna rzecz, którą mógłby powiedzieć i wzbudzić tym samym moje zainteresowanie.

W sobotę rano obudziłem się z lekkim, przyprawionym curry kacem. Nic poważnego, po prostu nadmiar ostrej papryki. Pomyślałem o Browns.

Lubię takie miejsca.

Normalnie by mnie tam nie wpuścili, i nie miałbym o to do nich pretensji. Znam swoje miejsce w szeregu. Dla nich byłem pariasem. Ale z takim gościem jak Gant mogłem się tam załapać.

Tymczasem miałem coś do załatwienia. Wiedziałem, że Joego napadły nastolatki. Jeden z nich nosił koszulkę z numerem Beckhama, drugi był czarny. Tak więc w sobotnie popołudnie będą grali w piłkę.

Ubrałem się byle jak.

Włożyłem wytarte dżinsy i niewypraną bluzę – gotowałem. Wziąłem glocka i wypaliłem na sucho. Bez problemu. Szybko załadowałem. Złapałem 36 i dojechałem do samej stacji Oval. Gdybym miał opisać, jak się czułem, powiedziałbym, że

pewnie

i

pozbawiony emocji.

Zajrzałem na osiedle czynszówek w Kennington, jeszcze spokojne. Okej. Poszedłem na Walworth Road i przybiłem piątkę z ludźmi z gangu, w którym kiedyś byłem. Zwabili mnie do pubu i spytali, na co mam ochotę.

– Butelkę becka – odparłem.

Ani się obejrzałem, a już miałem kilka butelek w ręku. Wiedzieli, że niedawno wyszedłem, spytali:

– Jak było w pudle?

– Tu jest lepiej.

Wznieśli za mnie toasty powitalne.

To był bezpieczny pub. To znaczy szef siedział w więzieniu o zaostrzonym rygorze.

Coś około osiemnastu lat bez możliwości zwolnienia warunkowego. Można więc było swobodnie rozmawiać. Jeff, organizator całej grupy, spytał:

– Potrzebujesz kasy?

– Nie, mam regularną pracę.

Kupa śmiechu i kolejne cztery butelki becka. Grupa obrabiała poczty, zwykle na zachodzie albo północy. Nie byli pazerni i przynosiło im to niezłe dochody. Gdy byłem dwudziestolatkiem, należałem do nich.

– W przyszłym tygodniu uderzamy na północ, Mitch. Chcesz się przyłączyć?

Kusiło mnie. Zarobiłbym ze dwa tysiące, ale niestety miałem inny grafik czasowy.

– Może kiedy indziej – odparłem.

Jedno piwo zostawiłem. Dochodziła druga trzydzieści. Powiedziałem, że muszę już iść, i pożegnaliśmy się w typowy południowo-wschodni chłodny sposób. Gdy wyszedłem, przez moment miałem ochotę wrócić.

Na osiedlu czynszówek w Kennington toczył się już zajadły mecz piłki nożnej. Usiadłem na murku, czekałem na właściwy moment. Piłka nożna pięcioosobowa, śmiertelnie poważny mecz. Zauważyłem czarnego chłopaka, był rezerwowym.

Kilku miejscowych usiadło obok mnie. Puściłem w obieg puszki z piwem, potoczyła się luźna gadka.

Nagle go zobaczyłem: koszulka Beckhama i dziki, brutalny talent.

Strzelił niesamowitego gola ze środka boiska.

Facet siedzący obok powiedział:

– Już go namierzyli.

– Słucham?

– Łowcy talentów, na początku sezonu idzie do Middloborough.

– Ma wielki talent – przyznałem z całkowitym przekonaniem.

– Jasne, żyje po to, by grać, gdyby zabrać mu piłkę, byłoby po nim.

Gra wkrótce dobiegła końca. Czekałem. Wreszcie kibice się rozeszli. Ale nie Beckham. On wciąż grał, dryblował, pogrążony w swych piłkarskich marzeniach. Czarny chłopak czekał, coraz bardziej znudzony.

Czas na rock'n'rolla.

Wstałem, przeciągnąłem się, rozejrzałem wokół. Pusto. Wolnym krokiem podszedłem do niedoszłego Beckhama. Nawet mnie nie zauważył. Wyjąłem glocka i przestrzeliłem mu od tyłu oba kolana.

Cztery strzały.

Od razu odwróciłem się do czarnego chłopaka, któremu dosłownie opadła szczęka, wsadziłem mu lufę w usta i powiedziałem:

– Nie tym razem, ale wkrótce.

Potem odszedłem. Złapałem autobus nr 3 na zafajdanym końcu Kennington Park i w dwie minuty byłem przy Lambeth Bridge.

Gdy dojechaliśmy do Embankment, ruszyłem w stronę Westminster, pozwoliłem, by w głowie rozbrzmiewała mi piosenka Hendriksa, ciało miałem zlane potem.

– Hej, Joe.

Dotarłem do domu. Buzowała we mnie adrenalina. Zalewał mnie na zmianę zimny i gorący pot. Wciąż powracała myśl: Więc aby kogoś zabić, wystarczy wycelować nieco wyżej.

Jezu. Ten pośpiech, z jakim powtórzyłem strzelanie do Beckhama. Takie cholernie proste.

Siłą zmusiłem się do tego, by poprzestać na tych czterech strzałach. Dopiero się rozkręcałem. Kurde, zacząłem rozumieć nieodparty urok broni.

Zerknąłem na zegarek, dwie godziny do spotkania z Gantem. Muszę się wziąć w garść, wyluzować. Zrobiłem blanta, i to dużego. Otworzyłem piwo i przystopowałem.

Kilka razy mocno się zaciągnąłem, zacząłem się relaksować.

Wszedłem pod prysznic i puściłem najzimniejszą wodę, wrzeszcząc:

– Kurwa… zaraz zamarznę!

Przypomniał mi się pierwszy dzień w więzieniu, kiedy zrobili mi „pociąg"; wkłada ci ośmiu czy dziewięciu facetów, wszędzie krew i myślenie: nauczę się.

I się nauczyłem.

Wyszedłem spod prysznica, otrząsnąłem się z wody i ze wspomnień.

Ubrać się szpanersko. O tak.

Włożyłem płócienne spodnie firmy Gap, granatowy sweter od Bossa i takąż marynarkę.

Phil Collins żyje, pomyślałem.

Gotów do wyjścia właśnie skończyłem blanta, gdy zadzwonił telefon. Odebrałem.

– Tak?

– Mitch, tu Briony.

– Cześć, siostrzyczko.

– Czy z tobą wszystko okej?

– Bo co?

– Masz jakiś dziwny głos.

Cholera, jak spędza się dzień na strzelaniu do młodych piłkarzy, to ma się przecież dziwny głos.

– Coś się stało?

Nie mogłem się powstrzymać od wypytywania.

– Jestem zakochana, Mitch.

– To dobrze.

– Mówisz to takim tonem, jakbyś był zły.

– Cieszę się wraz z tobą, Bri, jasne?

– Trzykrotnie doprowadził mnie do orgazmu.

To było trzykrotnie więcej informacji, niż potrzebowałem.

– Aha – powiedziałem.

– Czy jesteś zły, Mitch? Zły, że zdradziłam naszą rasę?

– Co?

– Wolałabym białego, ale to karma.

Cisnęło mi się na usta z tysiąc docinków, lecz poprzestałem na słowach:

– Życzę szczęścia, Bri.
– Pierwszemu synowi damy twoje imię.
– Dzięki, Bri.
– Kocham cię.
– Cieszę się.

Odłożyła słuchawkę.

Zupełnie poważnie, jak po takim telefonie można wierzyć, że życie ma jakiś cel?

Dojechałem na Covent Garden na ósmą. W Browns jest odźwierny. Zanim zdążył puścić nazistowską gadkę, oświadczyłem:

– Pan Gant mnie oczekuje.

W środku luksusy, styl regencji. W recepcji znów powołałem się na Ganta i skierowano mnie do jadalni.

Było niewielu gości, a przy stoliku pod oknem Gant we własnej osobie.

Wstał, by się ze mną przywitać. W szarym wełnianym garniturze wyglądał jak uosobienie sukcesu. Serdecznie uścisnął mi dłoń.

– Cieszę się, że mogłeś przyjść. Słuchaj, w Covent Garden są dwa lokale o nazwie Browns, skąd wiedziałeś, o który chodziło?

– W tamtym nie mieli bramkarza.

Roześmiał się cicho i spytał:

– Napijesz się czegoś przed kolacją?

Dennis Lehane napisał powieść pod tytułem *Wypijmy, nim zacznie się wojna.*

– Wódki z martini – odparłem.

Pomyślałem, że wczuję się w sytuację. Przyszedł kelner, a Gant zamówił dwa martini. Gant był tuż po czterdziestce, jego lodowate oczy na krótko spotkały się z moimi. To wystarczyło. Doskonała mieszanka arogancji i pogardy. Do tego jeszcze drań był szkaradny. W więzieniu roi się od takich... są strażnikami.

Zaczęliśmy sączyć przyniesione drinki.

– Chciałbym, żebyś zorganizował zbiórkę w

Brixton

Clapham

Streatham

I Kennington.

– Sam nie wiem, panie Gant.

– Mów mi Rob, dobra?

– Okej. Rob.

– Nie będziesz musiał już chodzić od drzwi do drzwi. Będziesz nadzorował zespoły, pilnował, żeby nie brali za dużo na lewo. Wszyscy lubimy zebrać trochę śmietanki z wierzchu, ale nikt nie lubi pazernych gnojków. Twój pan Norton zrobił się nazbyt ambitny.

– Rob, to mój kumpel.

Kelner przyniósł menu.

– Polecam ci solę w sosie cytrynowym – powiedział Rob.

– Wezmę stek.

– Aha.

Zamówiliśmy, a Rob poprosił jeszcze o dwie butelki wina, których nazw nie umiałbym nawet wymówić. Kelner powtórzył je bezbłędnie i dopiero wtedy załapałem. Przyniesiono jedzenie, nałożyliśmy sobie ziemniaków i warzyw. Rob z lubością zabrał się do jedzenia.

– Naprawdę powinieneś był wziąć tę rybę.

– W więzieniu często dają rybę.

Gdy to powiedziałem, kelner właśnie nalewał wino. Niech wie, co jest grane.

– Słyszałeś o dzisiejszej strzelaninie w Kennington?

– Nie. Nie słuchałem wiadomości.

– Młody piłkarz został postrzelony.

– Jak człowiek ogląda Sky Sports, to myśli, że przydałoby się wystrzelać większość z nich.

– Bywasz tam, prawda?

– W Kennington?... Nie... to nie mój rewir.

Skończył swoje żarcie i gapił się na moje.

– Nie jesz jak więzień – zauważył.

– Słucham?

– Ochraniając jedzenie.

– Nie, od kiedy przeczytałem *Miami Blues.*

Zamówił deser: tarta jabłkowa z dwoma kulkami lodów. Ja zrezygnowałem. Wreszcie dostaliśmy kawę, a on zapalił cygaro.

– Zapal, jeśli masz ochotę – powiedział.

Chciałem, by kelner zobaczył, jak robię skręta. By uprzykrzyć mu wieczór.

– Pewnych nawyków się nie opisuje w tamtej książce, co?

Uznałem, że ta uwaga nie wymaga odpowiedzi.

– Pamiętasz, jak powiedziałem, że informacja to władza?

– Tak.

– W zamian chcę coś od ciebie... zainteresowany?

– Jasne.

Zgasił cygaro.

– Odsiedziałeś trzy lata za ciężkie pobicie.

– Tak.

– Miałeś chwilową utratę świadomości.

– Tak.

– Nie zrobiłeś tego.

– Co?

– Bił twój przyjaciel Norton.

– To niemożliwe.

– Miałeś ślady na rękach?

– Nie... ale...

– Norton miał całe poharatane. Barman wyszedł za wami, wszystko widział. Ty nie mogłeś nawet utrzymać się na nogach. Norton zwiał, a gliny znalazły ciebie. Więcej kawy?

– Jezu... ja... nie.

– Może brandy będzie lepsza na ten szok.

Kelner przyniósł jeden z tych wielkich kulistych kieliszków. Można by wyprać w nim koszulę. Zostawił butelkę armaniaku na stole.

Rob nalał szczodrze.

Miałem mętlik w głowie. Łyknąłem brandy. Paliła aż do bólu, moje serce dostało potężnego kopa.

– Będziesz potrzebował czasu na... przetrawienie tej informacji.

– Dlaczego mi o tym powiedziałeś?

Rob zastanawiał się przez chwilę nad odpowiedzią.

– Mógłbym powiedzieć, że z powodu sympatii do ciebie, ale nie sądzę, byś to kupił. Norton stał się poważnym problemem. Teraz to twój problem.

– A jeśli nic nie zrobię?

Rozłożył ręce na serwecie i oświadczył:

– Wówczas będę naprawdę zdziwiony.

Zapaliłem kolejnego papierosa i próbowałem to wszystko przetrawić.

– Powiedziałeś, że chcesz czegoś ode mnie.

– Owszem. Czy uważasz, że moja rewelacyjna wiadomość jest coś warta?

– Bez dwóch zdań. Więc czego chcesz?

– Rolls-royce'a Silver Ghost.

Roześmiałem się głośno.

– Żartujesz. Jeżdżę autobusem, stary.

– Ale masz dostęp do pewnego royce'a.

Wreszcie zrozumiałem.

– Ten skurwiel Norton ci powiedział.

Rob się uśmiechnął.

– Dlaczego sam go nie ukradniesz? Przecież wiesz, gdzie stoi.

Pogroził mi palcem. Kurewsko mi się to spodobało.

– Widzę, że nie łapiesz, o co chodzi, Mitch. Chcę, żebyś to ty ukradł go dla mnie.

– Dlaczego?

– Nazwijmy to gestem dobrej woli.

Rob przeprosił i wyszedł do toalety. Kelner natychmiast wyrósł jak spod ziemi.

– Czy mam przynieść rachunek dla szanownego pana? – spytał szyderczo.

– Jasne, i to, kurwa, szybko.

Rob wrócił i nalegał, że zapłaci. Nie oponowałem.

Gdy wychodziliśmy, dotknął mego ramienia i powiedział:

– Nie ma pośpiechu... powiedzmy, że dostawa będzie w ciągu miesiąca.

Na zewnątrz czekał jego samochód.

– Zaproponowałbym ci podwózkę, ale sam mówiłeś, że jeździsz autobusami.

– Rob, raczej nie przyjmę twojej oferty pracy.

– No cóż, w takim razie czynsz za twoje mieszkanie wynosi pięćset tygodniowo.

– Daj spokój, Rob.

– A, i jeszcze jedno, teraz, gdy wyszliśmy – znów jestem dla ciebie panem Gantem.

Potem wsiadł do auta i odjechał.

Zamierzałem iść Drury Lane, ale uznałem, że mam dość teatru jak na jeden wieczór.

Następnego dnia wyprowadziłem się z Clapham. Spakowałem podstawowe rzeczy:

Pistolet.

Pieniądze.

Trawę.

Wziąłem kurtkę od Gucciego – no chyba byłbym głupi, gdybym ją zostawił. Kilka bluz i dżinsy. Zostawiłem marynarkę i ciemny garnitur. Nie planowałem więcej pogrzebów. Do tego kilka kryminałów. Wszystko zmieściło się do jednej torby. Podróż bez bagażu. Wyniosłem się.

Idąc podjazdem przy Holland Park, miałem nadzieję, że zastanę ich w domu. Poszedłem do wejścia dla służby. Jordan siedział przy stole kuchennym, czytał strony biznesowe w „Sunday Times".

Jeśli zaskoczył go mój widok, nie dał tego po sobie poznać.

– Chcesz mieć nadgodziny? – spytał.

– Właściwie to przyszedłem, żeby się wprowadzić.

Złożył starannie gazetę.

– Pani miała rację.

– Tak?

– Powiedziała, że wprowadzi się pan w ciągu tygodnia. – Wstał i dodał: – Proszę się napić kawy, przygotuję pański pokój.

Usiadłem, myśląc: cholera, gładko poszło.

Skręcając papierosa, przypomniałem sobie o zakazie palenia. I tak zapaliłem. Mieszkałem tu. Gdy Jordan wrócił, zauważył dym, ale się nie czepiał.

– Chyba jest tam wszystko, czego potrzeba: prysznic, płytka do podgrzewania potraw, lodówka. Nie ma jeszcze telefonu, więc pożyczę panu komórkę, zanim podciągniemy stacjonarny.

– Jakie zasady obowiązują?

– Słucham?

– No nie udawaj, stary: co należy, a czego nie wolno.

Uśmiechnął się – ten facet lubił planować – i odparł:

– Zasady są bardzo proste: Trzyma się pan z dala od głównego budynku, chyba że zostanie pan wezwany.

– Wezwany. Już się nie mogę doczekać.

Wezwanie nastąpiło szybciej, niż któryś z nas się spodziewał. Rozległ się dzwonek, a Jordan przeprosił i wyszedł. Po dziesięciu minutach wrócił i powiedział:

– Pani wita pana w Elms i chciałaby wiedzieć, czy jest pan gotów oprócz innych obowiązków pełnić też funkcję kierowcy.

– Jasne, czy musiałbym nosić uniform?

– Nie ma takiego wymogu.

Zaniosłem torbę do pokoju nad garażem i się rozpakowałem. W pomieszczeniu unosił się zapach odświeżacza powietrza. Na stole leżała komórka. Rolls-royce w garażu, komórka w mojej dłoni – witaj w krainie przyjemności.

Najpierw zadzwoniłem do Jeffa.

– Jeff, tu Mitch.

– Cześć, Mitch, fajnie było cię zobaczyć w sobotę. Zmieniłeś zdanie w sprawie pracy?

– Nie, stary, dzięki. Wiesz coś może o draniu, który się nazywa Gant?

– Rany... muszę cię zmartwić: to kompletny psychol.

– Aha.

– Twój kumpel Billy Norton się z nim prowadza.

Mój kumpel!

– Wiesz może, gdzie ten gość mieszka?

– Tak, raz wziąłem od niego jedno zlecenie, ale nigdy więcej. Wierz mi, stary, nie chcesz do niego iść.

– A jednak, Jeff?

– Jasne, zaczekaj chwilę... Regal Gardens dziewiętnaście, Dulwich. Należy do niego ten dom i większość ulicy.

– Dzięki, Jeff.

– Trzymaj się od niego z daleka, stary.

– Spróbuję.

Następnie zadzwoniłem do Bri, podałem jej nowy adres i numer komórki. Nic nie odpowiedziała.

– Bri... jesteś tam?

– To adres tej starszej babki, tak?

– Nie jest tak, jak myślisz, chodzi o pracę.

– Jestem pewna, że w jej wieku to bardzo ciężka praca – powiedziała i się rozłączyła.

Rany, jak Bri nie będzie uważać, rozwinie poczucie humoru.

Nie wypuszczałem telefonu z ręki. Zadzwoniłem do Nortona. Miał taki głos, jakbym go obudził.

– Obudziłem cię, Billy? – spytałem.

– Nie... ja... hm... waliłem konia. To ty, Mitch?

– Tak.

– Masz przesrane, stary.

– Słucham?

– Gant jest na ciebie wkurwiony. A... i straciłeś pracę.

– Po twoim głosie poznaję, że jesteś tym załamany, Billy.

Głębokie westchnienie.

– Co z tobą, koleś? Załatwiłem ci świetną robotę, a ty ją olałeś.

– Jesteś moim kumplem, Billy... tak?

– Jasne.

– Więc powiem ci, że za tobą Gant też nie przepada.

– Widzisz, Mitch, znów zaczynasz. Masz najebane w głowie.

– Billy, ten facet to problem.

– Mitch... to ty jesteś problem. Powiedział, że jesteś mu coś winien.

– Gówno mu jestem winien.

– Lepiej zapłać, Mitch, dostaje szału w takich sytuacjach.

– Jeszcze jedno, Billy. Gdy załatwiłem tego faceta, jak wyglądały twoje ręce?

Długa cisza, a potem:

– Jesteś skończony, koleś, mówię do zera.

Rozłączył się.

Teraz wiedziałem, że to prawda. Zapluty drań.

Gdy byłem pierwszy rok w więzieniu, jeden poziom nade mną siedział czarny pedzio. Przelecieli go w pierwszym tygodniu i potem poszedł na całość. Właśnie skończył osiemnaście lat, więc osiągnął wiek, w którym trafia się do więzienia dla dorosłych.

Świadczył usługi: robił laskę za kosmetyki, za bieliznę pozwalał się wydupczyć. Każdego wieczoru około wpół do dwunastej zaczynał śpiewać *Fernando*. Wolna, krystalicznie czysta wersja. Cały ten smutek, poczucie straty.

„Can you hear the drums, Fernando".

Przez kilka minut trwania piosenki całe zasrane więzienie zastygało w ciszy. Nie było słychać nawet szmeru, tylko tę samotną, rozdzierająco smutną piosenkę.

Pewnego wieczoru znalazł się przede mną w kolejce po żarcie.

– Masz cudowny głos – powiedziałem.

Odwrócił się, miał róż na policzkach, kreskę na powiekach z pasty do butów.

– Och, dziękuję ci bardzo – odparł. – Chcesz, żebym ci obciągnął?

– Nie... chciałem tylko powiedzieć, że masz wielki talent.

Już żałowałem, że go zaczepiłem. Jeszcze chwilę z nim pogadam i znów stanę się ofiarą. Ruszyłem z miejsca, a on dodał:

– Możesz mnie przelecieć za darmo...

O rany.

Nie wiem dlaczego, ale na zakończenie zapytałem:

– Dlaczego to robisz?

– To moja jedyna ochrona.

Czy miałem prawo się z nim spierać? Odszedłem, a gdy następnym razem przywitał się ze mną, powiedziałem:

– Do kogo, kurwa, mówisz?

Kilka miesięcy później został uduszony rajstopami.

Mówiłem sobie, że ignorowanie go dawało mi ochronę. Czasem na poły w to wierzyłem.

Wstałem, rzuciłem komórkę na łóżko, powiedziałem głośno:

– Drogi Billy, musisz zapłacić za Fernando.

***

Swego czasu w niedziele wszystko było w Londynie zamknięte. Teraz nawet bukmacherzy mają otwarte. Ruszyłem do Bayswater i dołączyłem do świata arabskiego. Jeśli ktoś w ogóle mówił po angielsku, ja go nie słyszałem.

W domu towarowym Whiteleys znalazłem to, czego szukałem, na trzecim piętrze. Na wystawie stał silver ghost, a po jego dwóch bokach lamborghini i ferrari. Podszedł sprzedawca. Powiedziałem, że chciałbym ghosta, a on mi go podał. Doskonały w każdym szczególe. I nie taki znowu tani. Gdy facet mi go pakował, zauważyłem deloreana. Sprzedawca dostrzegł moje zainteresowanie, ale pokręciłem głową. Wciąż nie mogą się go pozbyć, pomyślałem.

Kupiłem małą wyściełaną kopertę i znaczki. Potem zaadresowałem kopertę:

ROB GANT

I adres domowy.

Przykleiłem jeden znaczek i napisałem wielkimi literami:

WYMAGANA DODATKOWA OPŁATA POCZTOWA

Nadałem paczkę.

Poszedłem spacerem przez Hyde Park i przez godzinę śmigali wokół mnie ludzie na łyżworolkach. Następnym razem wezmę glocka. Zwolnię to tempo.

Nie miałem pojęcia, co zaplanować dla Nortona, postanowiłem, że zobaczę, jak się sprawy potoczą. Znając go, nie odpuści. Tym bardziej Gant. Mógłbym wyjechać z Londynu, ale niby gdzie?

Poza tym nie chciałem wyjeżdżać.

Oprócz tego nakręciłem się na Lillian Palmer i zdecydowanie chciałem zobaczyć, jak to pójdzie dalej. Gdzie jeszcze miałbym okazję pojeździć ghostem?

Poszedłem do knajpki i zamówiłem jajka na bekonie. Usłużność tajskiej obsługi była niemal nie do zniesienia. Jedzenie całkiem mi smakowało, choć wsypali za dużo pieprzu. A zresztą, co ja tam wiedziałem? Może to był całkiem dobry pomysł?

CZĘŚĆ DRUGA

Kurtyna zapada

Miałem Lillian jeszcze tej samej nocy.

Nad

pod

z boku

na podłodze

na stole

na łóżku.

Takie tam.

Gdy skończyliśmy, powiedziałem:

– Nie rozumiem, dlaczego masz problemy z utrzymaniem pracowników.

Około ósmej tego wieczoru leżałem na łóżku i czytałem jedną z książek Johna Sandforda.

Odezwała się moja komórka.

To była ona.

– Potrzebuję towarzystwa – powiedziała.

Więc poszedłem. Pomaszerowałem do domu, wszystkie światła się paliły. Ani śladu Jordana. Wspiąłem się po schodach. Drzwi do jej sypialni były uchylone, zapukałem. Usłyszałem:

– Proszę.

Wszedłem.

Stała przy oknie, w czarnej jedwabnej koszuli nocnej. Podszedłem.

– Co tak długo? – spytała.

Daliśmy upust szaleństwu. Ja miałem do odreagowania trzy lata więzienia, a ona miała jakąś własną historię.

Gdy wreszcie byliśmy nasyceni, spytała:

– Szampana?

– Mam nadzieję, że świadczy to o twoim szampańskim nastroju.

Owszem, świadczyło. Wypiliśmy dwie butelki moëta i dopiero wtedy się rozejrzałem po pokoju. W przeciwieństwie do reszty domu był urządzony spartańsko. Spodziewałem się setek fotografii, ale nie było ani jednej.

– Dlaczego ten pokój jest taki... pusty?

– Zaspokaja potrzebę prostoty.

– Spodobałoby ci się w więzieniu.

Spojrzała na mnie i powiedziała:

– Cóż za potknięcie.

Wiedziałem, że to nie pochwała.

– Wiesz, jak się nazywa ta posiadłość.

– Jasne... Elms.

– Co to znaczy?

– To takie drzewa: wiązy.

– *Pożądanie w cieniu wiązów*... Eugene O'Neill.

– Był Irlandczykiem, prawda?

Parsknęła szyderczo.

– Moja najlepsza rola. Ale zagram jeszcze Elektrę.

– Planujesz powrót?

– O tak, długo na to czekałam. West End okrzyknie mój powrót.

– Dlaczego teraz, Lil?

Jej oczy rozbłysły z wściekłości i chciała mnie spoliczkować. Złapałem ją za nadgarstek.

– Jestem Lillian Palmer, a nie jakaś dziwka z baru – rzuciła ze złością.

Usiadłem i powiedziałem:

– Dzięki za ruchanko.

To jej się spodobało.

– Nie odchodź – poprosiła. – Zdradzę ci swój wielki plan.

– Bez wątpienia jest fascynujący, ale jestem wykończony.

Wstała, włożyła koszulę, powiedziała:

– Wzywają mnie, bym wróciła. Trzykrotnie dzwoniono z biura Trevora Baileya.

– Na pewno powiesz mi, kto to jest.

– Impresario przez duże „i". Teraz przygotowuje dwa spektakle. Chcę, żebyś zawiózł mnie tam jutro, zrobimy wejście w wielkim stylu.

Podeszła do łóżka i wyjęła spod niego stertę papieru.

– To moje dzieło – oznajmiła. – Przerobiłam Elektrę, by ją unowocześnić.

– Nieźle.

– Oferuję ci zaszczyt bycia pierwszym czytelnikiem.

Miała bardzo poważny wyraz twarzy. W tych nędznych papierach było całe jej życie.

– Czuję się zaszczycony – odparłem.

Podała mi papiery jak niemowlę.

– Zrobimy wspaniałe rzeczy, Michael – oświadczyła.

Już chciałem powiedzieć „Mitchell", ale odpuściłem.

W drodze na dół natknąłem się na Jordana, który bezszelestnie wspinał się po schodach.

Nie odezwaliśmy się do siebie, on nawet na mnie nie spojrzał.

Gdy znalazłem się w swoim pokoju, otworzyłem puszkę piwa i spróbowałem wczytać się w jej dzieło.

Kompletny bełkot. Nie miałem pojęcia, o co w tym chodzi. Rzuciłem papiery na łóżko.

– Ale chała – mruknąłem.

Musiałem spać już kilka godzin, gdy zadzwonił telefon. Jezu, gdzie on się podział? Wreszcie znalazłem.

– Tak? – mruknąłem.

– Skończyłeś?

– Co?

– Spałeś?

– Lillian. Nie, oczywiście, że nie, zaczytałem się i zatraciłem w lekturze.

Próbowałem zobaczyć, która godzina, do cholery... trzecia piętnaście... kurwa.

– Proszę o opinię – powiedziała.

– Arcydzieło.

– Czyżby.

– O tak, brak słów.

– Może przyjdę teraz, przeczytam parę fragmentów?

– Nie... pozwól mi napawać się tą magią.

– Dobranoc, *mon chéri.*

– Tak.

Miałem w życiu wiele zmartwień, przeżywałem lęk i niepokój, ale perspektywa ujrzenia jej występu przepełniła mnie prawdziwą grozą.

Następnego ranka udałem się do kuchni. Wziąłem sobie kawy i zrobiłem tosta. Miałem całe pomieszczenie do swojej dyspozycji. Zjawił się Jordan i powiedział:

– Przygotowałem ubrania, których będzie pan potrzebował przy kierowaniu wozem.

– Już je masz?

Uśmiechnął się pod nosem.

– Staram się być zawsze przygotowany na różne ewentualności.

Zaproponowałem mu kawę. Nie... nieugięty, ale nie ruszył się z miejsca, więc spytałem:

– Słyszałeś o Baileyu?

– Tym z teatru?

Byłem zaskoczony, więc spytałem:

– Więc on istnieje?

– Dzwonił do pani trzykrotnie.

– Rozmawiałeś z nim?

– *Zawsze* odbieram telefon.

Gdy dojadałem drugiego tosta, powiedział:

– Co się tyczy scenariusza pani, mam nadzieję, że nie wyrażał pan żadnych krytycznych uwag.

Stal w jego głosie.

– Coś ty, stary, myślę, że jest świetny.

– Dobrze. Nie chciałbym, żeby pani się denerwowała.

– O to się nie martw.

– Pani zastanawia się, czy jesteś wolny w środę wieczorem.

– Wolny?

– Chodzi o brydża.

– Rany, nie gram w cholernego brydża.

Westchnął głęboko, by zachować cierpliwość.

– Nie oczekujemy uczestnictwa w grze, a jedynie towarzyszenia pani, gdy będą grać jej przyjaciele.

– Może być niezły ubaw.

Garnitury leżały na moim łóżku. Były trzy:

czarny

szary

granatowy.

Sprawdziłem markę: Jermyn Street. Sześć białych koszul.

Zszedłem do garażu, silver ghost błyszczał, wywoskowany i wypucowany. Jordan stał z boku. Zagwizdałem z podziwu.

– Niezła robota, stary – pochwaliłem.

– Dziękuję.

– Kiedy zdążyłeś to zrobić?

– Wczoraj w nocy, gdy czytał pan scenariusz pani.

– Aha.

– Dzwoniłem do biura pana Baileya, oczekują was o dwunastej w teatrze Old Vic.

Poszedłem na górę, żeby wziąć prysznic i poćwiczyć. Muszę być w formie dla pani.

– Co u licha? – zawołałem pod prysznicem.

Zauważyłem głębokie ślady zębów na klatce piersiowej. Ta cholerna suka mnie ugryzła. A więc brydż, Jordan.

Na górnej półce szafy leżały jakieś pisma. Nie, nie porno. Takie jak „GQ", „Vanity Fair". Natknąłem się na fragment wypowiedzi Courtney Love:

„Niech szlag trafi te wszystkie problemy genderowe. Pieprzę to wściekanie się o kobiece doświadczenia. Niech Polly Harvey się tym zajmuje".

Gdybym tylko mógł wpleść to jakoś do rozmowy.

W mamrze poznałem pewnego starszego faceta, który odsiedział piętnaście lat w peruwiańskim więzieniu o zaostrzonym rygorze. Po zwolnieniu został deportowany, a po tygodniowym pobycie w Londynie aresztowany za rabunek. Dostał siedem lat.

Powiedział raz do mnie:

– Podobają mi się angielskie więzienia, są dość przytulne.

– Ta, powiedz to temu pedziowi, którego zadusili.

Nie słuchał mnie, ciągnął swoją opowieść:

– Na początku od razu rozbierają cię do naga i kradną wszystko, co masz. Potem zanurzają ci głowę w wiadrze z zimną wodą, przykładają ci do jaj drut pod napięciem. San Juan de Lurigancho – czyż to nie piękna nazwa? Rządzili więźniowie. Cele sprzedawała więzienna mafia. Wszędzie gówno i komary. Ale najgorsza jest cisza. Cisza oznacza powszechną wojnę gangów.

Zrozumiałem, dlaczego uważa, że u nas jest przytulnie.

Stukanie do drzwi – Jordan.

– Pani jest gotowa.

Zaparkował samochód przed domem od frontu. Wyszła z niego kilka minut później. Ubrana w biały lniany kostium i fedorę. Wyglądała... staro. Przytrzymałem drzwi, gdy wsiadała, potem obszedłem samochód i zająłem miejsce za kierownicą.

Teraz wiem, dlaczego ludzie jeżdżący czymś takim są aroganccy. Cholerny samochód sprawia, że czujesz się kimś lepszym.

– W porządku? – spytałem, gdy wyjeżdżaliśmy.

Nie odzywała się przez całą drogę. Mogłem uważać. Skupiłem się całkowicie na samochodzie. Jak można jeździć czymś innym? Czy gdybym siedział za kierownicą jakiegoś poobijanego volva, myślałbym: O tak, to jest dobre.

Oczywiście taki wóz przyciąga uwagę. Budzi podziw, zaskoczenie albo pogardę. Wielu młodych kierowców próbuje zajechać drogę, ale do tego nie wystarczy jakieś tam miejskie japońskie autko. Zaczynałem wierzyć, że trzeba mieć kogoś, kto siedzi za tobą.

Podjechaliśmy pod teatr Old Vic i zaparkowałem z boku.

– Pójdę cię zaanonsować.

– Zaczekam.

Portier, młody chłopak, nigdy o niej nie słyszał.

– Nigdy o niej nie słyszałem, stary – powiedział.

Spieraliśmy się przez chwilę, aż wreszcie pojawił się starszy mężczyzna.

– O co chodzi? – spytał.

– Na zewnątrz czeka Lillian Palmer, ma się spotkać z panem Baileyem.

Rozpromienił się.

– Lillian Palmer, o Boże!

Poszedł po Baileya.

– To ona jest sławna? – spytał chłopak.

– Zaraz się przekonamy.

Zamaszystym krokiem nadszedł jakiś mężczyzna, ciągnąc za sobą korowód asystentów. Wyglądał jak wyprasowany George C. Scott. Nie miał butów do jazdy konnej ani megafonu, ale wyglądał, jakby miał.

– Jestem Bailey – powiedział.

Wyjaśniłem mu, co i jak, na co on zawołał:

– Chyba chodzi o zadanie Philipsa, wezwijcie go. A tymczasem powitajmy pannę Lillian Palmer.

Bez wątpienia wiedział, jak się z nią obchodzić. Podał jej ramię i wprowadził do teatru, a potem na scenę, odwrócił się i oświadczył:

– Panie i panowie, ludzie sceny, oto gwiazda.

Skierowano na nią reflektor, wszyscy zebrali się wokół.

Była odmieniona, trzydzieści lat zniknęło z jej twarzy. O rany, rzeczywiście musiała być kimś, pomyślałem.

Bailey odczytał tę myśl z mojej miny.

– O tak – powiedział – była cholernie dobrą aktorką. Czy Jordan wciąż na miejscu?

– Tak.

– Był kiedyś jej mężem. Cholera, większość z nas była. – Spojrzał na mnie i spytał: – Wiercisz tam?

– Co?

– Wcale bym ci się nie dziwił, stary, ma klasę.

– Widział pan jej scenariusz?

– Widuję go co najmniej raz w roku. Aż trudno w to uwierzyć, ale robi się coraz gorszy.

Bailey kazał przynieść szampana i tartinki, którymi raczono się na scenie. Wreszcie znaleziono Philipsa i okazało się, że owszem, dzwonił trzykrotnie. Chciano pożyczyć ghosta na jakąś promocję.

– W końcu zawsze okazuje się, że chodzi o reklamę samochodów.

Nie powiedziano o tym Lillian. Odprowadzono nas do auta, sprawiono jej cudowne pożegnanie.

Szalała z radości.

– Widziałeś? – spytała. – Słyszałeś? Kochają mnie! Odzyskam należne mi miejsce. Podjedź gdzieś. Chcę, żebyś mnie kochał.

Podjechałem od północnej strony Hyde Parku. Przesiadłem się na tylne siedzenia i puknąłem ją, jakbym miał na to ochotę. Gdy potem wysiadłem, dwóch dozorców parkowych powitało mnie oklaskami.

To był dzień występów.

W czwartek wróciłem do codziennych zajęć. Siedziałem na dachu i zbijałem uszkodzone fragmenty łupku. Słyszałem, jak lądują na patio, rozbijają się jak szkło. Gdybym lubił poetyzować, powiedziałbym, że jak marzenia, ale to był tylko zniszczony łupek. Pani przez cały dzień wisiała na telefonie, zamawiała nowe ubrania, fryzjera, szczebiotała z przyjaciółkami. Jeszcze nie poznałem żadnej z nich, ale przypuszczałem, że nastąpi to w „wieczór brydżowy".

Nadszedł wieczór, biorąc prysznic, pomyślałem sobie, że kupię rybę z frytkami na wynos i poczytam sobie Edwarda Bunkera. Nowego Pelecanosa zostawiłem sobie na deser. Zainstalowano mi już telefon stacjonarny i byłem urządzony. Odezwał się dzwonek.

– Pan Mitchel?

– Cześć, doktorku.

– Skąd pan wiedział?

– Zgadnij, ilu Hindusów do mnie wydzwania.

– Aha.

– Skąd masz numer?

– Od Briony, jest bardzo zaradna.

– To też... więc do czegoś doszło?

– Tak, moglibyśmy się spotkać? Zapraszam pana na obiad.

– Okej.

– Świetnie. W Notting Hill jest wspaniała włoska restauracja, Da Vinci. Może spotkamy się tam o ósmej?

– Włoska?

– Nie lubi pan włoskiej kuchni?

– Nie, jasne, że lubię. Dobrze. I mów mi Mitch.

– Dobrze, panie Mitch.

Nastawiłem się już na rybę z frytkami, lecz co mi tam. Włożyłem granatowy garnitur i białą koszulę. Przejrzałem się w lustrze.

– Ale czad – mruknąłem.

Jak mogłem się spodziewać, wszyscy, z doktorkiem włącznie, byli niedbale ubrani.

Knajpa była przytulna i przyjazna, najwyraźniej tam znali doktora. Dobre wejście. Zamówiliśmy małże z linguini, a potem spaghetti bolognese. Chleb był chrupki i świeży jak wyidealizowane dzieciństwo. Nawet wino mi smakowało. Gdy wycierałem chlebem talerz z sosu, a doktor zamówił więcej wina, spytałem:

– O co chodzi, doktorku?

– O Briony.

– *Quelle surprise.*

– Mówi pan po francusku?

– Nie, znam tylko to jedno wyrażenie, dlatego powinienem oszczędnie nim szafować. Zdziwiłbyś się, jak często muszę używać go w odniesieniu do Briony.

– Czy mogę być z panem szczery, panie Mitch?

Po usłyszeniu takiego tekstu najlepiej zapłacić rachunek i wziąć nogi za pas.

– Wal.

– Bardzo ją kocham.

– Ale jest stuknięta, tak?

To go nieco zbiło z tropu, lecz również ośmieliło, by mówić dalej.

– Gdy studiowałem medycynę, poważnie rozważałem wyspecjalizowanie się w psychiatrii. Czytałem sporo o osobowości borderline.

Przyszedł kelner i zebrał puste talerze. To było znaczące. Oni to lubią, lubią, jak jesz. Świetni ludzie. Doktor wziął na deser tort. Ja zostałem przy cappuccino, ale bez posypki czekoladowej. Nienawidzę tego szajsu.

– Zasadniczo rzecz biorąc, rozdzielają uczucia od zachowania. Tragiczne jest to, że borderzy nie mają szans na wyleczenie. Najlepsze, co można zrobić, to pomóc im żyć w ich szaleństwie.

Na początku wydają się normalni, mają dobrą pracę, ale wciąż balansują pomiędzy szaleństwem a zdrowiem psychicznym. Nie potrafią tworzyć relacji, uwolnić się od skrywanej wściekłości, która prowadzi do autodestrukcji.

– Te jej kradzieże sklepowe?

– Właśnie. Żyją od jednej katastrofy do drugiej. Wyśmienicie potrafią wcielać się w różne role i dręczy ich przemożne uczucie pustki. Nigdy się nie zmieniają.

– Aktorki.

– Tak, wielu ludzi z osobowością borderline świetnie sobie radzi na scenie, ale…

Pomyślałem o Lillian i powiedziałem:

– W czym problem, doktorku? Po prostu odejdź.

Spojrzał na deser, a potem odepchnął go od siebie.

– Jestem w niej zadurzony.

– Daj spokój, doktorku. Zabiorę cię na drinka do angielskiego pubu, jeśli uda nam się taki znaleźć.

Zabrałem go do Sun In Splendour na Portobello. Przynajmniej kiedyś był to pub angielski. Zamówiłem dwa gorzkie piwa i zajęliśmy stolik.

– Pij – powiedziałem.

Tak zrobił. Potem zmierzył mnie długim, uważnym spojrzeniem.

– Jak możesz być taki spokojny... gdy chodzi o twoją siostrę?

Chciał powiedzieć „chłodny".

Nie szkodzi – umiem się zachować.

– Byłem w więzieniu. Zupełnie mi się tam nie podobało. Instynkt mi mówi, że muszę zmobilizować wszystkie siły, by tam nie wrócić. Muszę grać spokojnego, by przetrwać. Jak poniosą mnie emocje, jestem trupem.

Był przerażony.

– Ale takie życie pod ciągłą kontrolą musi być straszne.

Osuszyłem szklankę i powiedziałem:

– Lepsze niż w więzieniu.

Po jakimś czasie zamówiliśmy następną kolejkę, a on zapytał:

– Co ja mam robić?

– Doktorku, nie daję rad, a już na pewno ich nie przyjmuję, jednak coś ci powiem. Wejdź w to, zabaw się, wyszalej, bo prawda jest taka, że ona i tak cię zostawi, zawsze tak robi. Potem wskrzesi Franka, wróci do koki, pistoletów i szaleństwa.

– Jak ja będę potem żył?

Dotknąłem jego ramienia i powiedziałem:

– Jak cała reszta, stary – najlepiej, jak potrafisz.

Następne dwa tygodnie przebiegły spokojnie. Wykonywałem przypisane prace, czytałem książki, obsługiwałem aktorkę.

Miałem nadzieję, że kiedy zjawi się Gant, będę na to przygotowany. W przeciwnym razie miałbym przesrane.

Piosenka Chrisa De Burgha – *Waiting for the Hurricane*: czekając na huragan. Brydżowy wieczór udowodnił, że martwi powstają z grobów. Trzech mężczyzn i kobieta. Wszyscy zmumifikowani. Można się było domyślić, że żyją, tylko po tym, że palili papierosy.

Nie grałem i nikt ze mną nie rozmawiał. Oprócz Lillian, która powtarzała wciąż dwie kwestie:

1) Jeszcze jedna whisky z wodą, kochanie.

2) Opróżnij popielniczki, kochanie.

O tak, dała mi prezent. Srebrną papierośnicę.

Oddałem ją jakiemuś pijaczkowi na Queensway, który zawołał:

– Co to, kurwa, jest?

No właśnie.

Zmiana zaczęła się po telefonie od doktorka, który powiedział:

– Odeszła.

– Przykro mi.

– Co ja teraz zrobię?

– Wrócisz do swojego życia.

– Jakiego życia?

Witaj w krainie jęków.

Pod koniec drugiego tygodnia zacząłem się robić niespokojny. Pewien filozof powiedział:

„Wszystkie problemy człowieka biorą się stąd, że nie potrafi siedzieć w pokoju i nic nie robić".

Miał rację.

Poszedłem do Fincha na Brompton Road. Tak ni z tego, ni z owego. Miałem na sobie kurtkę od Gucciego, więc przypuszczam, że to nie było tak całkiem przypadkowe. W metrze leżał porzucony egzemplarz „South London Press". Przeczytałem go od deski do deski, podczas gdy District Line jak zwykle koszmarnie nawalała. Prawie nie zauważyłem tej małej notki u dołu strony. Przed budynkiem w Clapham znaleziono martwego mężczyznę. Ofiara napaści. Rozpoznałem nazwisko i adres mężczyzny.

Miałem na sobie jego kurtkę, a wcześniej mieszkałem w jego domu.

W Finch zamówiłem piwo i zabrałem je do spokojnego stolika. Zrobiłem skręta i zastanawiałem się, czy to już czas na whisky.

Po „South London Press", po tym wszystkim, zacząłem bezmyślnie się gapić przed siebie niewidzącym wzrokiem. Sam nie zauważyłem, kiedy odpłynąłem. Nauczyłem się tego w więzieniu, a raczej ono mnie tego nauczyło. Wreszcie zdałem sobie sprawę z tego, że ktoś coś do mnie mówi. Odzyskałem ostrość widzenia, zauważyłem, że nie tknąłem drinka ani nie zapaliłem papierosa. Kobieta siedząca przy sąsiednim stoliku powiedziała:

– Myślałam, że odjechałeś.

Spojrzałem na nią, całkiem poważnie.

Była po trzydziestce, miała na sobie jasnobrązową zamszową kurtkę, czarny T-shirt i sprane dżinsy. Ciemne włosy, ładna twarz i duża blizna pod lewym okiem.

– Zamyśliłem się.

– Byłeś całkiem otumaniony.

Irlandzki akcent. Zawsze rozpoznawalne miękkie samogłoski. Kojący. Wziąłem solidny łyk piwa i spytałem:

– Próbujesz nawiązać ze mną gadkę?

– Nie wiem, na razie nic nie gadałeś.

Była atrakcyjna, bez wątpienia, ale się zawahałem.

– Jest takie piękne słowo irlandzkie, *brónach*... oznacza smutek, ale też o wiele więcej. W każdym razie tak właśnie wyglądałeś.

Język ciągle stał mi kołkiem w gębie. Obok siedzi ładna kobieta, podrywa mnie, a ja jestem pogrążony w jakimś koszmarnym letargu.

– Masz strasznie pokiereszowaną twarz. Złamany nos, siniaki, czy to boli?

Wreszcie powiedziałem:

– Chcesz drinka?

– Nie, dziękuję.

Jeśli masz jakieś wątpliwości, zachowuj się okropnie. W więzieniu to zawsze działało.

– Jak doszło do tego, że siedzisz sama w zasranym pretensjonalnym pubie na północ od rzeki?

Odebrała to jak policzek. Dotknęła blizny.

– To aż tak rzuca się w oczy? – spytała.

Nieustępliwie spytałem:

– Dlaczego tego nie naprawisz?

Kolejny policzek. Opadła na oparcie krzesła.

– Przepraszam, że ci przeszkodziłam – powiedziała.

Teraz już mogłem mówić.

– Jestem Mitch, jak się masz? Proszę o wyrozumiałość, miałem zły dzień.

Uśmiechnęła się. Uśmiech był tak promienny, że nawet blizna zwinęła swój namiot i odmaszerowała.

– No dobra, poproszę małego guinnessa.

– E tam, napijmy się czegoś porządnego.

– Co daje dobrego kopa?

– Whisky zawsze daje.

Zamówiłem dwie duże. Na gorąco, żeby łatwiej wchodziły.

– O rany, jaka dobra – powiedziała.

Spojrzałem na nią i spytałem:

– Zawsze mówisz, co czujesz?

– Oczywiście, a ty nie?

– Praktycznie nigdy.

Miała na imię Aisling, i jak się wyluzowałem, świetnie nam się gadało. Nie mogłem uwierzyć w to, że się tak dobrze bawię. Wyszliśmy z pubu i pojechaliśmy taksówką do klubu, gdzie grano muzykę cajuńską i serwowano pyszne żeberka z grilla. Wielkie wiaderka żeberek, a do tego piwo w kuflach. Nie ma sposobu, by jeść to delikatnie. Człowiek musi się tym napchać i zatłuścić.

Tak właśnie zrobiła.

I chwała jej za to.

W klubie jest mały parkiet taneczny i zaciągnęła mnie tam. W zespole grał demoniczny skrzypek, który nas całkiem opętał. Zlani potem wróciliśmy do swojego stolika, napiliśmy się piwa, zjedliśmy jeszcze więcej żeberek i znaleźliśmy się w niebie żarłoków.

Chwyciła mnie za rękę i poprosiła:

– Pocałuj mnie.

Zrobiłem to i menu było kompletne. Potem jeden z gości wykonał solową interpretację w stylu amerykańskiego południa *The Night They Drove Ol' Dixie Down.* Tańczyliśmy wolno, a ja niemalże poczułem się szczęśliwy.

Prawie zemdlałem.

– Wiesz, Mitch, cudownie całujesz – powiedziała.

Byłem w niebie.

Głaskała mnie dłonią po karku, podśpiewując piosenkę, a moje ciało było naelektryzowane. Karmiła mnie najbardziej podstępną trucizną ze wszystkich: nadzieją.

– Powiedz mi, Mitch, że tego lokalu nigdy nie zamykają.

– Dobrze by było.

Otworzyła oczy i poprosiła:

– Powiedz mi coś miłego; to nie musi być prawda, ale jakaś cudowna rzecz, którą zapamiętam na zawsze.

Wtedy, w tamtej chwili, czułem, że na to zasługuje i powiedziałem:

– Jesteś najmilszą osobą, jaką spotkałem.

Przytuliła mnie mocno.

– To świetne i w sam raz.

Poza tym to była prawda.

Czasami bogowie odpuszczają, myślą sobie: „Na razie wystarczy, niech gnojek zobaczy, jak mogłoby być. Jak mają błogosławieni".

***

Gdy zespół przestał grać, powiedziała:

– Pojedź ze mną, Mitch, do mojego okropnego pokoju w południowo-wschodnim Kensington, a ja zrobię ci Irish coffee.

Pojechałem.

Nie wypiliśmy kawy, ale kochaliśmy się słodko i delikatnie, nie wierzyłem, że tak może być. Gdy wychodziłem, spytała:

– Zobaczę cię jeszcze?

– Mam nadzieję, że tak, naprawdę.

Do domu wracałem jak na skrzydłach. Cajuńskie melodie, jej śpiewny głos, niezwykła miękkość jej ciała oszołomiły mój umysł. Wchodząc na podjazd w Holland Park, mruknąłem:

– Dość tego, wynoszę się stąd.

Na mojej poduszce leżało coś, co wyglądało na pająka. Czarne i pokruszone. Podszedłem wolno i poznałem, co to jest. Zmiażdżone szczątki miniaturowego rolls-royce'a, którego wysłałem do Ganta.

Wreszcie kupiłem samochód. Tak, najwyższy czas. Stare volvo, warte tych kolejnych sześciu miesięcy i braku gwarancji. Było poobijane, ale któż nie był? Kiedy zapuściłem silnik, odsunąłem wszelkie myśli o rolls-royce'ach.

Po trzech nocach krążenia autem namierzyłem Nortona. Zaczaiłem się przed pubem Biddy Malone na Harrow Road. To nie był jego rewir.

Czekałem, tak jak przez poprzednie noce. Gdy zamykali, wyszedł. Przybił na pożegnanie piątkę z innymi nocnymi markami.

Naprany piwskiem palant. Gmerał kluczykiem w zamku, gdy przystawiłem mu glocka za uchem.

– No i kto ma teraz przesrane, gnojku? – spytałem.

Wepchnąłem go na tylne siedzenie, przystawiłem lufę do czoła.

– Zagroź mi teraz, dupku.

Dopiero po chwili doszedł do siebie.

– Mitch... można to wszystko naprawić... prawda?

– Zostawiając pogróżki na mojej poduszce?

– Słuchaj, Mitch, mógłbym usiąść prosto i pogadamy?

Pozwoliłem mu i spytałem:

– Czemu nie przeszukałeś pokoju? Oprócz innych fajnych rzeczy znalazłbyś to cacko.

Przycisnąłem lufę do jego nosa i ciągnąłem dalej:

– A teraz mogę cię załatwić z palcem w dupie.

Norton pokręcił głową i powiedział:

– Kazał mi wejść szybko, niczego nie dotykać. Zwłaszcza chodziło o to, by nie zobaczył mnie ten cholerny kamerdyner. Gant nie chciał popsuć niespodzianki.

– Co stało się z poprzednim lokatorem?

Norton spojrzał na mnie.

– Słyszałeś już o tym, tak?

– Czytałem.

– Gant nie mógł uwierzyć, że odszedłeś. Obserwowaliśmy mieszkanie, a ten durny drań próbował się tam włamać. No i Gant stracił panowanie nad sobą, wiesz, jaki jest, jak załatwił tego czarnucha.

– Ciągle jest na mnie wkurwiony?

Norton zaśmiał się chrapliwie.

– Jeszcze bardziej niż wcześniej. Czasami robi interesy z Kolumbijczykami i podziwia ich bezwzględność. Oni zabijają wszystkie bliskie ci osoby.

Minęła chwila, nim to do mnie dotarło.

– Moja siostra?

Skinął głową i dodał:

– Nie zaprzyjaźniaj się z nikim.

– A co z tobą, Billy?

– Wycofuję się, jak tylko upłynnię swój majątek, wynoszę się stąd.

– Chyba nie zauważyłeś, że jesteś w dość kłopotliwym położeniu?

Spojrzał na pistolet, a potem na mnie.

– Przecież mnie nie zastrzelisz, Mitch.

Zastanowiłem się nad tym. Chociaż był draniem, jakich mało, mimo to nadal go lubiłem. Był śmieciem, ale łączyła nas przeszłość, na ogół zła, lecz jednak.

– Masz rację, Billy – przyznałem.

Opuściłem pistolet i wysiadłem z samochodu. Właśnie zaczynało padać. Podniosłem kołnierz kurtki, a Norton też wysiadł. Staliśmy przez chwilę naprzeciw siebie, a potem on wyciągnął dłoń i powiedział:

– Podajmy sobie ręce, stary.

– Nie przeciągaj struny – odparłem.

I odszedłem.

Czytałem *Down on Ponce* Freda Willarda. W moim guście, klasycznie powściągliwe i śmieszne. Koleś opisuje Atlantę w Georgii jako miasto, które jest zbyt zajęte na nienawiść, ale potrafi wygospodarować trochę czasu na kradzież.

Rozległ się dzwonek telefonu. Odebrałem.

– Tak?

– Mitch, tu Briony.

– Dzięki Bogu, muszę się z tobą zobaczyć.

– Chętnie, Mitch.

– Jutro wieczorem. Może postawię ci kolację w tej włoskiej knajpce w Camberwell, którą tak lubisz? Powiedzmy o ósmej?

– Przyjdę sama, Mitch.

– W porządku.

– Zawsze zostaję w końcu sama.

– Pogadamy o tym.

– Ale nie przyprowadzisz tej starej aktorki?

– Nie, będziemy tylko we dwoje.

Odłożyłem słuchawkę.

– Jezu, co ja z nią mam – mruknąłem.

Nie powiem jej raczej, że kogoś poznałem. A już na pewno nie powiem o tym „starej aktorce". Gdy czytałem, mój umysł działał dwutorowo. Koncentrowałem się na lekturze, ale też myślałem o Gancie.

Uznałem, że spróbuję zastosować tymczasowe rozwiązanie, i zadzwoniłem pod jego numer. Gdy odebrał, powiedziałem:

– Rob, stary.

Milczenie, a potem:

– Mitchell?

– A któż by inny? Jak leci, bracie?

– No cóż, Mitchell, zamierzam złożyć ci wizytę.

– Właśnie dlatego dzwonię. Chciałbym cię powiadomić, na co wydaję swoje zarobki z różnych źródeł. Kosztowało mnie to parę patyków, ale „wynająłem" napastnika. Gra wygląda następująco: Zrobisz krzywdę mnie albo mojej siostrze, to on zastrzeli twoją córkę – ile tam ona ma? Jedenaście? Chyba nieźle sobie radzi w tej szkole w Dunwich, co? I jeszcze coś. Z tej forsy, która mi została, załatwiłem też zniżkowe zlecenie na twoją żonę. To cudowne, że trzy razy w tygodniu pracuje charytatywnie dla Oxfamu. Zamówiłem dla niej „kanapkę z kwasem". Widzisz, posłuchałem twojej rady, zebrałem garść informacji… sam powiedziałeś, że informacje dają władzę.

– Blefujesz.

– I to właśnie jest piękne: musisz zdecydować, blefuję czy raczej nie. Taka mała wariacja programu „Call My Bluff". Co o tym sądzisz?

– Myślę, Mitchell, że nie masz pojęcia, komu grozisz.

– Och, bo wiesz, jestem strasznie nakręcony.

– Wierz mi, Mitch, jeszcze się spotkamy.

– Muszę kończyć. A… jeszcze jedno. Nacja Islamska chce się z tobą rozmówić. Chodzi o tego gościa, którego podrzuciłeś do Brixton… na krześle…

Rozłączyłem się. Zyskam trochę czasu. Wszystko posprawdza i prędzej czy później będzie próbował mnie dorwać. Miałem nadzieję, że do tej pory obmyślę jakiś plan. Albo przynajmniej będę miał więcej amunicji.

Gdy pojechałem następnego wieczoru na spotkanie z Briony, postanowiłem zaparkować przy Oval. Tak też zrobiłem, a potem poszedłem zobaczyć, jak radzi sobie nowy sprzedawca „Big Issue". Chłopak był na miejscu i od razu mnie rozpoznał. Kupiłem egzemplarz i poczułem, że mi się przygląda.

– Jak leci? – spytałem.

– Załatwił ich pan, co?

– Co?

– Tych dwóch młodych, którzy załatwili Joego – załatwił ich pan.

– Chodzi ci o tego piłkarza?

– Tak, tego, co nosił koszulkę Beckhama.

– Dobry był?

– Miał talent.

– Dobra, muszę lecieć.

Gdy doszedłem do samochodu, chłopak zawołał:

– Wie pan, co myślę?

– Co?

– Pieprzyć ich.

– Będziesz miał oko na samochód?

– Jasne.

Poszedłem Camberwell New Road. Co za dziura. Złe puby i fatalne wibracje. Wszędzie kręcili się chłopcy w bluzach z kapturami. Powietrze było naelektryzowane zagrożeniem. Jak spacerniak po dwunastogodzinnym siedzeniu w celi. Był czas, gdy bezdomny prosił o parę groszy. Teraz żądają. Na przykład tak.

Jakiś koleś mnie namierzył i zaszedł mi drogę.

– Daj papierosa – powiedział.

Trzeba być twardym i dać odpór. Wystarczy, że zaczniesz coś pieprzyć i się usprawiedliwiać w stylu: „nie palę", a pokiereszują ci facjatę.

– Spierdalaj – powiedziałem.

Tak też zrobił.

Oczywiście, jak są naćpani, to inna para kaloszy. Nie wiadomo, czego się spodziewać po takim kolesiu. Najlepiej szybko mu przyłożyć i iść swoją drogą. Żałowałem, że nie siedzę za kółkiem, ale adrenalina wyostrzyła mi uwagę.

Gdy dotarłem do Camberwell Green, odetchnąłem z ulgą i wszedłem do restauracji. Briony już tam siedziała i popijała wino z kieliszka. Miała właśnie jazdę gotycką. Ubrana na czarno, z białym makijażem.

– A cóż to, zrobiłaś się na zjawę?

– Podoba ci się?

– Robi wrażenie.

Właściciel knajpy był starym przyjacielem i przybił mi piątkę. Nie taki znów oczywisty gest dla Włocha wychowanego w Peckham.

– Miło cię widzieć, Alfons – powiedziałem.

– Ciebie też, przyjacielu. Mam zamówić dla was dwojga?

– Byłoby świetnie.

Briony nalała mi trochę wina, wznieśliśmy toast, wypiliśmy, a ja zapytałem:

– To jak?
– Musiałam zostawić doktora.
– Słyszałem.
– Podał mi swój pin.
– Dlatego odeszłaś?
Roześmiała się. Dzięki Bogu. Wieczór nie będzie całkiem ponury.
– Kupiłam psa – oznajmiła.
Przesłyszałem się i myślałem, że powiedziała „pub".
– Rany, ileż on miał forsy?
– To King Charles Cavalier.
– A, psa.
Wyglądała jak mała dziewczynka – w stylu gotyckim.
– To King Charles Cavalier – powtórzyła.
– Fajnie.
– Są bardzo potulne, jakby cały czas były na środkach uspokajających.
– Szczęściarze.
Alfons przyniósł jedzenie.
A mianowicie.
Przystawki: fritti misti. Cukinia, bakłażan i brokuły w chrupiącej panierce.
Crostino al prosciutto z cieniutko pokrojoną szynką, polane topniejącym parmezanem.
Przyjemnie było patrzeć, jak Bri je. Robiła to z delikatnością i skupieniem.
– Nazwałam psa Bartley-Jack.
– Dlaczego?
Wyglądała, jakby sama nie wiedziała.
– Nie wiem – odparła.

Jako danie główne Bri miała cotoletta alla milanese. Wołowina smażona z przyprawami i w panierce z bułki tartej. Jedzenie, które się rozpływa w ustach.

Ja wziąłem gnocchi. Małe mączne kluseczki przyprawione porcini. To dzikie włoskie grzyby.

Opisywałem potrawy Bri. Zrobiło to na niej wrażenie.

– Skąd to wszystko wiesz? – spytała. – Przeważnie ledwie się wysławiasz po angielsku.

– Przez pierwsze dwa tygodnie w więzieniu, zanim czegokolwiek się nauczyłem, miałem do czytania tylko włoskie menu. Było przypięte do ściany w mojej celi. Przeczytałem je chyba z tysiąc razy. Potem ktoś je podwędził.

– Dlaczego?

– W więzieniu wszystko kradną. Nieważne, co to jest.

Na koniec wzięliśmy espresso, palące podniebienie, gorzkie, prawdziwe.

– Bri, mam ci coś poważnego do powiedzenia – odezwałem się wreszcie.

– Słucham.

– Czy masz jakieś miejsce, gdzie możesz na jakiś czas wyjechać?

– Dlaczego?

– Mam pewne sprawy do załatwienia i nie mogę się o ciebie martwić.

– Nie.

– Co?

– Mam teraz pieska, nie mogę tak po prostu wyjechać.

– Rany, zabierzesz tego cholernego pieska ze sobą.

– Musisz mi powiedzieć dlaczego.

Zrobiłem sobie skręta, wydmuchałem z westchnieniem dym i odparłem:

– Pewni ludzie wywierają na mnie presję. Mogą próbować zrobić ci krzywdę.

– E tam... pieprzyć ich.

– Uspokój się, Bri, dam ci forsę.

– Mam kupę szmalu.

– Proszę, Bri, zrób mi przysługę.

– Może zrobię. Dlaczego nie chcesz się dowiedzieć, jak było z lekarzem?

– Ależ chcę. Co się stało?

– Jest weganinem.

– I co z tego? Przecież ty też czasami jesteś weganką.

– Nie lubię, jak ktoś mi coś zaleca. Zresztą najbardziej lubię drani, jak ty.

Dałem spokój. Poprosiłem o rachunek, zapłaciłem.

– Zawołać ci taksówkę, Bri? – spytałem.

– Nie, mam kartę autobusową.

– Od kiedy?

– Chyba od wczoraj.

– Uważaj na siebie, kotku.

Posłała mi ten uśmiech, który nic nie obiecywał.

Gdy szedłem New Road, zatrąbił na mnie jakiś samochód. Szyba poszła w dół, zobaczyłem Jeffa.

– Mitch, szukałem cię, stary.

– Tak?

– Wskakuj, podwiozę cię.

– Tylko do Oval, tam zaparkowałem.

Wsiadłem, a on ruszył pełnym gazem. Sylwetki przechodzących mętów zamazywały się w pędzie.

– Potrzebuję przysługi, stary.

– Spróbuję.

– W poniedziałek jedziemy na północ.

– Tak?

– Dwóch z załogi odpadło. Gerry ma złamaną nogę, Jack ma żonkę w szpitalu.

– Nie możesz przełożyć?

– Dwie ostatnie wycieczki też musiały już zostać przełożone. Ciężko być przestępcą i głową rodziny.

– O co mnie prosisz, Jeff?

– Żebyś wszedł do załogi.

Z kumplami jest tak, że nie trzyma się ich w niepewności. Tak albo nie.

– Dobra – zgodziłem się.

– O, to świetnie, stary. W poniedziałek rano u mnie... o wpół do dziewiątej.

Gdy wysiadałem z samochodu, powiedział:

– Fajnie, że można na ciebie liczyć.

– To nic takiego.

Tak mi się wtedy wydawało.

Gdy szedłem podjazdem przy Holland Park, zauważyłem, że światła są już pogaszone. Dzięki Bogu, pomyślałem. Konieczność wskoczenia na aktorkę byłaby mniej więcej tak kusząca jak więzienne śniadanie.

Już miałem skierować się do swojego pokoju, gdy dostrzegłem światło w kuchni. Pomyślałem: czemu nie?

Jordan siedział przy kuchennym stole bez marynarki, przed nim stała kamionkowa butelka.

– Cześć – powiedziałem.

Podniósł na mnie wzrok.

– Proszę się przyłączyć.

– Dobra.

Nigdy wcześniej nie widziałem go bez marynarki. Zauważyłem, że ręce ma opalone, mocno umięśnione. Gestem wskazał, bym wziął sobie szklankę.

Gdy to zrobiłem, przechylił butelkę i nalał mi do pełna.

– To jenever, dżin holenderski – poinformował.

Stuknęliśmy się szklankami, mruknęliśmy pod nosem coś w rodzaju „skol" i wypiliśmy jednym haustem. Jezu, jakiego to dawało kopa. Chwila łaski, potem cios, błyskawiczny atak na żołądek. Oczy zaszły mi łzami, zabrakło tchu.

– Phh – zipnąłem.

Skinął głową.

– Jeszcze? – spytał.

– Oczywiście.

Gdy doszedłem do siebie po podwójnym kopie, zacząłem skręcać papierosa.

– Mogę dostać jednego? – spytał.

– Ho, ho... a co z zasadami?

– Pieprzyć je.

Podałem mu papierosa, przypaliłem.

– Wreszcie gadasz jak człowiek – powiedziałem.

Zaciągnął się głęboko, to nie był jego pierwszy raz. Ten facet wychował się na dymie.

– Co słychać u pani?

– Czeka na wezwanie do teatru.

– Jezu! Nigdy nie zadzwonią. Co wtedy?

Wyglądał na przybitego. Na pijanego też, ale przede wszystkim miał zbolałą minę.

– Coś wymyślę – odparł. – Zawsze coś wymyślam.

Czułem, że jestem wystarczająco podpity, by spytać:

– Jaki to jest układ, dlaczego tu siedzisz?

Wyglądał na zdziwionego.

– To moje życie – odparł.

Nie rozwijał tematu, więc próbowałem dalej:

– Byłeś chyba jej mężem, prawda?

To, że wiem, wcale go nie speszyło.

– Wciąż nim jestem – odparł.

Potem rozłożył dłonie na stole, skupił na mnie wzrok.

– Przed nią byłem nikim. Moje serce bije dla niej.

Uznałem, że obaj jesteśmy wystarczająco naprani, więc ciągnąłem dalej:

– Ale... ona przecież, no wiesz... widuje się z innymi facetami.

Splunął głośno na podłogę, a potem wyjaśnił:

– Oni są niczym – zabawkami, które wyrzuca jak śmieci. Ja jestem na stałe.

Na jego wargach pozostało nieco śliny, oczy płonęły mu gorączkowo. Uznałem, że chyba ma nierówno pod sufitem. Trochę odpuściłem.

– Dobrze się nią opiekujesz.

Machnął lekceważąco ręką. Wypiłem jeszcze trochę dżinu i spytałem:

– Słyszałeś kiedyś duet Gartha Brooksa i Trishy Yearwood pod tytułem *In Another Eyes*?

– Nie.

– Nie słuchasz zbyt wiele muzyki, co?

– Jedynie Wagnera.

Na to nie ma chyba rozsądnej odpowiedzi. Ja przynajmniej jej nie znalazłem.

Potem zrobił coś bardzo dziwnego. Wstał, ukłonił mi się i oświadczył:

– Miło mi się z panem rozmawiało, ale teraz muszę zabezpieczyć dom.

Wstałem, nie wiedząc, czy powinienem mu uścisnąć dłoń, czy nie.

– Dziękuję za drinka – powiedziałem.

Gdy już byłem przy drzwiach, odezwał się ponownie:

– Panie Mitchell, gdyby kiedykolwiek miał pan kłopoty, jestem do dyspozycji.

– Aha.

– Jestem cennym sojusznikiem.

W drodze do łóżka nie wątpiłem w to ani przez moment.

Próbowałem przez chwilę oglądać telewizję, ale widziałem podwójnie.

Musiałem być bardzo pijany, bo pomyślałem sobie, że *Ally McBeal* wcale nie jest taka zła.

Piątek. Uznałem, że skoro w poniedziałek mam obrobić bank, przyda mi się odpoczynek wojownika między bitwami.

Zadzwoniłem do Aisling.

– Nie sądziłam, że się jeszcze odezwiesz – powiedziała.

– Dlaczego?

– Faceci tak robią. Gdy mówią: zadzwonię, nie czekasz na to z zapartym tchem.

– Okej... mogę cię gdzieś zaprosić?

– O tak, mam nawet pewien plan.

– Nie ma to jak plan.

– Możemy się umówić, że mnie zgarniesz ze stacji Angel o ósmej?

– Islington?

– To źle?

– Północ.

– Co z tego?

– Nic… mogę pojechać na północ.

– Do zobaczenia.

Przez cały dzień pracowałem:
naprawiłem drzwi
umyłem okna
gwizdałem sobie różne melodie.

Nadszedł wieczór, Jordan przyniósł mi zwitek banknotów.

– Pani prosi na słowo – powiedział.

– Jasne... słuchaj, potrzebuję wolnego poniedziałku.

– Tylko proszę nie zamieniać tego w stały zwyczaj.

Wydawało się, że poczucie koleżeństwa, które pojawiło się poprzedniego wieczoru, całkiem wyparowało.

Zauważyłem, że ma przekrwione oczy. Tak to jest z dżinem.

Pani czekała w jadalni. Wyglądała dobrze. Batalion
fryzjerów
kosmetyczek
fizjoterapeutów
wykonał kawał dobrej roboty. Jej skóra i oczy lśniły. Miała na sobie wydekoltowaną kremową suknię, skórę leciutko opaloną. Świetne logo.

Poczułem mrowienie. Ciało to drań, robi, co mu się żywnie podoba. Lillian uśmiechnęła się domyślnie i powiedziała:

– Musisz być cały rozpalony i spocony po tak znojnej pracy.

Wzruszyłem wymijająco ramionami.

– Dziś wieczór wychodzimy – oświadczyła. – Zarezerwowałam stolik w Savoyu.

– Beze mnie, kotku.

– Słucham?

– Mam inne plany.

– Więc je odwołaj. Już czas, bym pokazała się publicznie.

– Życzę dobrej zabawy, ale nie będę ci towarzyszył.

– Jak ty sobie wyobrażasz, że pojawię się bez towarzystwa? Potrzebna mi eskorta.

– Poszukaj w książce telefonicznej.

Nie mogła uwierzyć, że jej odmawiam, zawołała:

– Nie przyjmuję odmowy!

Spojrzałem na nią ostro i odparłem:

– Rany, bądź realistką, lady.

I wyszedłem. Usłyszałem, jak woła za mną:

– Nie pozwoliłam ci jeszcze odejść, wracaj natychmiast!

Oczywiście natychmiast zjawił się Jordan, ale zanim się zdążył odezwać, powiedziałem:

– Ćwiczy rolę, nie przeszkadzaj.

Biorąc prysznic, myślałem: jest po królewsku upierdliwa.

Niewiele wówczas jeszcze wiedziałem.

Po prysznicu otworzyłem piwo i się ubrałem. Zwyczajnie. Bluza i dżinsy. Nos wciąż miałem obolały, ale dało się wytrzymać. Na peryferiach mojego umysłu błąkały się myśli o Gancie. Wątki myśli są wątłe i zdradliwe. Przypomniało mi się takie zdanie:

Nie chodzi o nienawiść, lecz o całkowite spustoszenie.

Gdy byłem już gotów do wyjścia, wziąłem komórkę i włożyłem do kieszeni dżinsów. Samochód zapalił za pierwszym razem i zanim dojechałem do końca podjazdu, rozległ się dzwonek telefonu.

To była Lillian.

– Znalazłam w tobie o wiele więcej, niż się spodziewałam, ale o wiele mniej, niż miałam nadzieję znaleźć.

I się rozłączyła.

Zanim dotarłem do stacji Angel, było dziesięć po ósmej. Po Islington koszmarnie jeździ się samochodem. Aisling czekała. Była ubrana w płaszcz wełniany, sprane dżinsy. Wyglądała jak olśniewająca studentka. Otworzyłem drzwi, wskoczyła do środka. Przechyliła się i pocałowała mnie w usta.

– Przepraszam za spóźnienie – powiedziałem.

– Byleby tylko mnie się nic nie spóźniło…

Puściłem to mimo uszu i spytałem:

– Dokąd mam jechać?

Dała mi skomplikowane wskazówki i dwa razy zgubiłem drogę. Wreszcie zawołała:

– Stop!

Zatrzymaliśmy się przed pubem.

– To Filthy MacNasty* – oznajmiła.

– Chyba żartujesz.

– Nie, tak się nazywa.

– Brzmi, jakbyśmy byli w Bronksie.

– Mówiłeś, że lubisz powieści kryminalne. Tutaj organizują spotkania z pisarzami kryminałów, którzy czytają swoje utwory na tle odpowiedniej muzyki. Zgadnij, kto będzie dziś wieczór?

Nie miałem pojęcia.

– Nie mam pojęcia – powiedziałem.

– James Ellroy.

– O rany… świetnie!

Pub był już zatłoczony, ale udało nam się zająć dwa stołki w rogu baru. Na rozpromienionej twarzy Aisling było wypisane podekscytowanie.

– Ja stawiam, co chcesz? – spytała.

– Guinnessa.

Zamówiła dla mnie piwo, a dla siebie malibu. Podano nam drinki i stuknęliśmy się szklaneczkami.

– Co to jest malibu? – spytałem.

– Rum z kokosem.

– Dobry Boże.

– Spróbuj.

---

* Filthy (ang.) – brudny, ordynarny, nieprzyzwoity; nasty (ang.) – wstrętny, paskudny, nieprzyjemny.

– Lepiej nie.

– No spróbuj.

Spróbowałem.

– A niech mnie, smakuje jak syrop na kaszel.

Roześmiała się, ścisnęła mnie za udo i powiedziała:

– Strasznie się cieszę, że cię widzę.

Czułem się świetnie. Rany, czy kiedykolwiek tak się czułem? Była zachwycająca, zabawna, bystra, i podobałem się jej. Miałem forsę w portfelu i obiecujący wzwód. Niebo knurów.

Potem wszedł James Ellroy. Wielki, podminowany facet. Nie tyle czytał, ile urządził totalne przedstawienie.

Hipnotyzujący.

Gdy zrobił przerwę, otoczył go tłum.

– Może zamienisz z nim słowo? – zaproponowała Aisling.

– Później go złapię.

Uśmiechnęła się szelmowsko.

– Powiem ci, co będzie później. Zamierzam zwabić cię do siebie, napełnić wannę

zapachami

olejkami

i tobą.

Otworzyć butelkę wina i namakać. Potem zamówię wielką pizzę i zjem cię na gorąco. Potem będę czuwać nad twoim snem.

Odezwał się mój telefon.

Musiałem przecisnąć się przez tłum, by znaleźć jakiś zaciszny kąt.

– Pieprzony japiszon – mruknął ktoś po drodze.

Ja?
Przyciskając telefon do ucha, spytałem:
- Tak?
- Panie Mitchell, mówi Jordan.
- Tak?
- Panna Palmer próbowała popełnić samobójstwo.
Cholera.
- Jest z nią źle?
- Obawiam się, że tak.
- Co mogę zrobić?
- Sądzę, że powinien pan przyjechać.
- Cholera.
- Jak pan uważa.
Rozłączył się. Powiedziałem:
O kurwa
kurwa
kurwa.
- Po przerwie lepiej czyta - zauważył jakiś facet.
Przepchałem się z powrotem do Aisling.
- Muszę iść.
- O nie.
- Podwiozę cię, dobrze?
- Nie, lepiej już idź.
- Dasz sobie radę?
- Może zamienię słowo z Jamesem Ellroyem.
- Wynagrodzę ci to później.
Uśmiechnęła się smutno.
- Zobaczymy.
Gdy wychodziłem, leciało *Sweetest Thing* U2.
Trudno o lepszy komentarz.

Jezu, skąd to się wzięło, pomyślałem.

Przedzierając się przez zakorkowane ulice Islington, czułem się wypompowany. Powrót do Holland Park zajął mi prawie dwie godziny.

Wszedłem do kuchni, Jordan tam był.

– Jak się czuje? – spytałem.

– Lekarz dał jej środek uspokajający, ale nie śpi.

– Mam tam pójść?

– Tak, proszę.

Nie miał nic więcej do powiedzenia, więc poszedłem. W górę po schodach, jak skazany na szafot. Sypialnię oświetlała tylko lampka nocna. Ona leżała w łóżku, z rękami na kołdrze. Zauważyłem bandaże na nadgarstkach. Nie było pieprzonej szansy na to, że je zasłoni.

– Lillian – powiedziałem.

– Mitch... Mitch, to ty, kochanie?

– Tak.

Podźwignęła się z wielkim trudem, by usiąść, ale potem opadła z powrotem na poduszkę.

– Przepraszam, Mitch, nie chciałam ci sprawiać kłopotu – wyszeptała.

Miałem ochotę jej przywalić, lecz powiedziałem tylko:

– W porządku. Odpoczywaj, wszystko dobrze.

– Czy jest ładna, Mitch, jest młoda?

– Co?

– Ta dziewczyna, z którą się spotykasz?

– Nie ma żadnej dziewczyny... poszedłem zobaczyć się z kumplami.

– Obiecaj mi, Mitch, obiecaj, że nigdy mnie nie opuścisz.

W głowie słyszałem krzyk: jak do diabła do tego doszliśmy?

– Obiecuję – powiedziałem.

– Weź mnie za rękę, kochanie.

Posłuchałem. Westchnęła głęboko.

– Teraz czuję się taka bezpieczna.

Ja czułem się zupełnie jak wtedy, gdy sędzia orzekł: „Trzy lata”.

Na skok trzeba się ubrać wygodnie. Nie jest to okazja do włożenia nowej pary butów. Albo slipów, które miażdżą jaja.

U Jeffa zjawiłem się wcześnie. Siedziało tam już dwóch chłopaków ze starej ekipy. Bert i Mike, solidni jak beton. Powietrze było gęste od dymu papierosowego i zapachu kawy.

Czuło się napięcie. Ci faceci byli profesjonalistami, ale za każdym razem stawka szła w górę.

Na sofie walała się broń.

– Mamy nowego chłopaka – powiedział Jeff.

Nie spodobało mi się to.

– Nie podoba mi się to – oświadczyłem.

Jeff uniósł ręce w górę.

– Mnie też nie – odparł – lecz ponoć to świetny kierowca. Nie mamy wyboru.

System Jeffa był prosty. Trzy samochody. Jeden do napadu, potem dwie zmiany. Te auta zostały już odpowiednio rozstawione w czasie weekendu. Wyborowy kierowca to była podstawa.

– Chcesz coś na śniadanie, Mitch?

Na wielkiej patelni coś się smażyło, obok leżała góra tostów. Jeśli chodzi o posiłki przed skokiem, są dwie szkoły:

1) Nażreć się jak świnia, żeby mieć dużo energii.

2) Nic... żeby podnieść poziom adrenaliny.

Ja byłem za tą drugą.

– Wystarczy mi kawa – powiedziałem.

Podszedłem do kanapy, wybrałem broń kaliber 9 mm i włożyłem ją za pasek dżinsów. Wziąłem też śrutówkę.

Jak się trzaska z tego gówna, ściąga się na siebie całą uwagę. Włożyłem zniszczoną kurtkę wojskową, kieszenie naładowałem nabojami. Spróbowałem kawy, była mocna jak uderzenie pięści.

Pukanie do drzwi, Jeff ostrożnie otworzył. Odwrócił się do nas.

– To ten nowy – powiedział.

Wszedł jakiś punk. Wydał mi się znajomy. Był ubrany jak Liam Gallagher, zanim ten odkrył, co można zrobić ze złotą kartą kredytową. Miał długą szramę na policzku. Przypomniałem sobie.

Na przyjęciu wyszedł na tyły knajpy z Briony, a ona rozorała mu twarz, zanim włożyła mu lufę w usta.

– Znam cię – oświadczył.

Skinąłem głową. Uśmiechnął się znacząco.

– Jak się miewa ta walnięta suka, twoja siostra?

Jeff zainterweniował:

– Hej, uspokójcie się, dobra?

– Ręczysz za niego? – spytałem Jeffa.

– Oczywiście.

Nie podobało mi się to wszystko, ale było za późno, żeby się wycofać. Ustaliliśmy, co i jak, i ruszyliśmy w drogę. Na pierwszy etap mieliśmy furgonetkę.

Usiadłem z przodu z Jeffem, chłopcy z tyłu. Gówniarz dużo gadał, lecz Bert i Mike go olewali.

– Celem jest Newcastle-under-Lyme. Samochody są zaparkowane przy Keele University.

– Czego się spodziewamy?

– Bank jest napakowany. Może będzie z dwanaście kawałków.

– Fajnie.

– Miejmy nadzieję.

Usadowiłem się wygodniej, żeby się wyluzować.

Pewnej nocy, po obsłużeniu aktorki, zacząłem opowiadać jej o swoich lekturach. Nie wiem, co mnie do tego skłoniło, ale rozkręciłem się, wyliczając książki z różnych dziedzin, które czytałem.

Gdy skończyłem, powiedziała:

– Lektury samouka, człowieka pracy. Wszyscy wiemy, jakie są

przygnębiające

egotystyczne

uporczywe

surowe

znamienne i wreszcie

budzące obrzydzenie.

– Ty przemądrzała suko.

Roześmiała się i odparła:

– Niestety, to nie moje słowa, ale analiza Jamesa Joyce'a dokonana przez Virginię Woolf. Znasz Virginię?

– No zgadnij.

Furgonetka przyhamowała z szarpnięciem, a Jeff powiedział:

– Jesteśmy w Keele.

Zapakowaliśmy sprzęt do czekającego samochodu, włożyliśmy kombinezony.

Bert miał zostać w drugim samochodzie, a Mike w trzecim.
Chodziło o to, by każdy samochód
miał kierowcę
był bezpieczny
gotowy do drogi.
Punk usiadł za kierownicą. Jeff obok niego, a ja z tyłu.
Gdy punk zmieniał biegi, powiedział:
– To kupa złomu.
Jeff na to:
– Zamknij się i jedź.
Tak zrobił.
Dwadzieścia minut później wjechaliśmy do Newcastle. Czułem, jak skacze mi poziom adrenaliny. Jeff kazał punkowi zaparkować jakieś dwadzieścia metrów przed wejściem do banku.

Wysiedliśmy, włożyliśmy kominiarki i wpadliśmy do środka. Są tacy, co przy napadach na banki wierzą w skuteczność terroru słownego. Wpadają z wrzaskiem do środka, wykrzykują wulgarne słowa.

Zastraszają obywateli. Dostrzegam w tym pewne zalety.

Jednak Jeff miał własną metodę. On uważa, że przedstawienie jest warte więcej niż tysiąc słów.

Dlatego właśnie postrzelił pierwszego napotkanego klienta.

Postrzelił go w kolana. Facet osunął się na podłogę. Jeff załadował swoją broń śrutem. Nie czyni wielkiej szkody, ale

boli jak wszyscy diabli
wygląda okropnie
i napędza niezłego stracha.

Po dwóch minutach stłoczyłem razem cały personel i klientów. Jeff przeleciał przez bank jak wirus, napełnił dwie czarne torby. Potem daliśmy nogę.

Gdy biegliśmy do samochodu, w pewnym gościu odezwał się brytyjski duch obywatelski. Złapał mnie od tyłu, zacisnął ramiona wokół mnie. Punk odpalał silnik. Rozluźniłem ciało, a potem z całej siły nastąpiłem na podbicie stopy tamtego. Wydał wrzask, który pewnie było słychać aż w Brixton. No a przede wszystkim mnie puścił. Obróciłem się do niego, walnąłem w twarz i wrzasnąłem:

– Głupi skurwielu, chcesz, żeby cię zastrzelić, tak?

Jeff odciągnął mnie i warknął przez zęby:

– Idziemy, szybko.

Słychać już było syreny. Wycofałem się i pobiegłem do samochodu. Ruszyliśmy z piskiem opon.

– Rany, Mitch, myślałem, że go sprzątniesz – powiedział Jeff.

– Ja też.

Punk zaśmiał się histerycznie.

– Trzeba było – zawołał. – Trzeba było wpakować mu kulkę!

Gdyby nie to, że prowadził, walnąłbym go pięścią w łeb.

Dotarliśmy do Keele i zmieniliśmy samochody. Potem w stateczniejszym tempie pojechaliśmy do trzeciego pojazdu. Znów się przesiedliśmy i wkrótce wyjechaliśmy na szosę, zgubiliśmy się w sznurze samochodów. Gdy wsiedliśmy do furgonetki, głośno wypuściłem powietrze z płuc. Nawet nie wiedziałem, że wciąż wstrzymywałem oddech.

Na tylnym siedzeniu Mike, Bert i punk krzyczeli z radości. Jeff, który prowadził, sięgnął pod swój fotel. Wyjął butelkę whisky Cutty Sark i mi ją podał. Wziąłem długi palący łyk. Jeff zerknął na mnie i uśmiechnął się pod nosem.

– Bułka z masłem, co? – powiedziałem.

Po powrocie do Jeffa zaczęliśmy balować. Piłem budweisera i sączyłem cutty. Gówniarz opróżniał butelkę dżinu. Jeff i Bert liczyli forsę.

– Chcesz jeszcze jednego buda, Mitch? – spytał Mike.

– Jasne.

Siedziałem na krześle kuchennym, a Mitch nachylił się nad stołem i powiedział:

– Ten chłopak cię wkurwia.

– Mogą z nim być kłopoty.

– Dziś dobrze sobie radził.

– Widziałeś ślady na jego rękach?

Mike zerknął i odparł:

– Wygląda na to, że już nie bierze, nie ma spuchniętych żył.

– Maść na hemoroidy.

– Co?

– Schodzi po niej obrzęk.

Mike był naprawdę zaskoczony.

– Jezu, Mitch, skąd ty wiesz takie rzeczy?

– *New Hope for the Dead.*

– Co?

– Książka Charlesa Willeforda.

– Nie znam gościa.

– Już nie żyje.

Jeff podniósł rękę i powiedział:

– Chłopaki, policzyliśmy.

Zastygliśmy w oczekiwaniu.

– Piętnaście kawałków.

Głośna owacja. Po odjęciu kosztów Jeff wypłacił nam po dwa siedemset na głowę.

Punk rzucił:

– Trzeba to oblać.

Po jakimś czasie chłopaki zaczęły się rozchodzić.

– Masz chwilę, Mitch? – spytał Jeff.

– Jasne.

Gdy wszyscy wyszli, otworzył piwo i spytał:

– Słyszałeś kiedyś o niejakim Kerrkovianie?

– Nie.

– Taki wysoki, chudy skurwiel, lubi ubierać się na czarno. Ma oczy jak kulki, bez śladu życia. Myślę, że to jeden z tych wschodnioeuropejskich gangsterów.

– Bardzo ciekawe, Jeff, ale co to ma ze mną wspólnego?

– Wypytywał o ciebie.

– Aha.

– Uważaj na siebie.
– Dobra. Dzięki, Jeff.
– Musiałeś zaleźć za skórę jakiemuś ważniakowi.
– Chyba mam do tego talent.

Poszedłem do kwiaciarni. Zamówiłem bukiet złożony z róż, orchidei, tulipanów.

– Taka wiązanka będzie sporo kosztować – zauważyła kwiaciarka.

– Czy ja się z panią targuję?

– Nie. Ale...

Włożyłem kwiaty do bagażnika i pojechałem do Peckham.

Grób Joego był zadbany, leżał na nim aktualny egzemplarz „Big Issue" owinięty w celofan. Zrobiło mi się smutno.

Po cmentarzu kręcił się jakiś facet, który porządkował groby. Podszedłem do niego i powiedziałem:

– Cześć.

– Cześć.

– Czy to ty zajmujesz się tamtym grobem?

– A jeśli tak, to co?

– Chciałem tylko podziękować.

Wyłuskałem kilka banknotów, a on szybko je zgarnął. W cudowny sposób odmieniły jego zachowanie.

– Przydałby się nagrobek – zauważył.

– Jak to się załatwia?

Wyjął flaszkę z kieszeni, zaproponował mi gestem. Pokręciłem głową, a on pociągnął łyk.

– Na rozgrzewkę – wyjaśnił.

– No jasne.

Schował butelkę i powiedział:

– Jakbyś poszedł do kamieniarza, policzyłby sobie tysiaka. Ja zrobię za pół ceny.

Wyjąłem jeszcze kilka banknotów.

– Możesz to zrobić? – spytałem.

– Z przyjemnością. Chcesz jakiś napis?

Zastanawiałem się przez chwilę, po czym odparłem:

– To był egzemplarz.

– Tylko tyle?

– Tak.

– Nie chcesz jakiegoś wiersza czy coś? Mam niezłe kawałki w hangarze.

– Nie czytał poezji.

– No dobra, zrobi się.

Przeliczył forsę i zauważył:

– Dałeś mi za dużo.

– Nie... zatrzymaj resztę.

Gdy zebrałem się do wyjścia, spytał:

– Dlaczego mi zaufałeś?

– Jeśli nie można zaufać człowiekowi na cmentarzu...

Zaśmiał się gardłowo.

– Najwięksi łajdacy są pod twoimi stopami.

– Otóż to.

Gdy dotarłem do Holland Park, poczułem odpływ adrenaliny i marzyłem tylko o tym, by się walnąć spać. Jordan wyszedł mi na spotkanie.

– Pani pytała o pana – oświadczył.

– Dobrze.

– Ale nie tylko ona.
– Tak?
– Miał pan dwóch gości.
– Przyszli razem?
– Nie, jeden z nich to był policjant.
– Kenny.
– Osobnik z kiepskimi manierami.
– Zgadza się.
– A ten drugi był... jak by go opisać? W węgierskim dialekcie mamy słowo „Zeitfel". Oznacza „chodzącego trupa".
– Jak zombi?
– Może. Napędza go zło, podłość wprawia w ruch. Amerykanie mają na to określenie „stone killer".
– Był ubrany na czarno?
– Tak.
Gdy przetrawiałem tę informację, Jordan dodał:
– Na odchodnym wskazał na wiąz.
Jordan skinął na wielkie drzewo rosnące po lewej stronie podjazdu.
– I powiedział: strzeż się dziwnego owocu.
– Billie Holiday.
– Słucham?
– Śpiewała piosenkę o zlinczowanym człowieku pod tytułem *Strange Fruit*.
Jordan sięgnął do kieszeni marynarki, wyjął kopertę i powiedział:
– Dostał pan też list.
Poznałem pismo Briony.
– Dzięki – powiedziałem.

Otworzyłem kopertę. Na kartce był markotny miś. Trzymał znak z napisem

JESTEM SMUTNY

W środku Briony napisała:

Och, Mitch.
Chcesz, żebym wyjechała. Christopher Isherwood napisał:
„W każdej szafie kryje się biedny duszek poronionej reputacji.
Odejdź, szepcze, wracaj, skąd przychodzisz. Tu nie ma domu.
Byłem próżny i zachłanny. Schlebiano mi. Poniosłem klęskę.
Ciebie też to spotka. Odejdź".
Tylko mój piesek mnie kocha.
Całuję
Bri

Myślę, że byłoby to dla mnie bardziej zrozumiałe, gdybym wiedział, kim był Isherwood. Albo w co pogrywał.

Leżałem na łóżku i rozmyślałem o Aisling. Uznałem, że koniecznie muszę do niej zadzwonić. Potem przypomniałem sobie napad i moment, gdy tamten idiota chwycił mnie od tyłu. Przez chwilę naprawdę mnie korciło, żeby nacisnąć spust.

Musiałem przyznać, że byłem naładowany. Teraz adrenalina ze mnie wyparowała i miałem nadzieję, że nie nabiorę ochoty na kolejną działkę.

Sen podkradł się do mnie i wyrwał z tych rozmyślań.

Gdy się obudziłem, był już późny wieczór. Ogarnęło mnie jakieś niejasne, złe przeczucie. Zrobiłem sobie kawę, otrząsnąłem się z niego. Skręciłem papierosa i wypaliłem go, siedząc na łóżku. Miał smak starości, którą czułem w kościach. Wziąłem prysznic, włożyłem wykrochmaloną białą koszulę, wytarte dżinsy. Przejrzałem się w lustrze. Wyglądałem jak ojciec George'a Michaela przed łapanką w męskim kiblu.

Zadzwonił telefon, aktorka powiedziała:

– Stęskniłam się za tobą, Mitchell.

– No cóż, już wróciłem.

– Mam dla ciebie wyjątkową niespodziankę.

– Już się specjalnie na tę okazję wystroiłem.

– Słucham?

– Już idę.

– Nie zawiedziesz się.

W kubku zostało jeszcze trochę kawy, więc odszukałem butelkę scotcha i dolałem do niej szczodrą porcję. Dla równowagi. Łyknąłem szybko. Przydałoby się więcej whisky, ale postanowiłem nie przesadzać.

Lillian czekała w salonie. Ktoś odwalił tam kawał dobrej roboty, meble zostały zepchnięte pod ścianę. Dywany zrolowano. Drewniana podłoga lśniła od pasty. Pośrodku stała mała scena oświetlona reflektorem punktowym. O kurwa, pomyślałem.

Przed sceną stało jedno krzesło. Obok barek pełen napitków. Usiadłem, przejrzałem butelki i zauważyłem whisky Johnnie Walker. Nalałem sobie porządną porcję. Bez tego nie dałbym rady.

Rozległa się muzyka klasyczna, przygasły światła.

Na scenie zjawił się Jordan, ubrany w czarny garnitur, pod muchą.

– Z przyjemnością zapowiadam powrót Lillian Palmer. Dziś wieczór wyrecytuje krótki fragment z D.H. Lawrence'a. Będzie to jej lament nad straconą Anglią.

Sam się czułem stracony. Łyknąłem sobie scotcha. Jordan ukłonił się i wycofał ze sceny. Jeśli oczekiwał na oklaski, to na próżno.

Gdy klaszcze jedna ręka, nie rozbrzmiewa żaden dźwięk.

Potem zjawiła się ona. Ubrana w jakieś przezroczyste sari. Widziałem wyraźnie jej cycki. Opuściła głowę. I zaczęła wolno recytować:

– „To jest Anglia, mój Boże, łamie mi serce. Ta Anglia, te przeszyte snopami światła okna, wiązy, przeszłość – wielka przeszłość krusząca się nie pod naciskiem nadlatujących ptaków, lecz pod ciężarem zeschłych liści. Nie, nie mogę tego znieść. Bo zima nadciąga, a wraz z nią cały obraz ginie, pamięć umiera. Nie mogę tego znieść, przeszłości upadającej, gnijącej, kruszącej się przeszłości, tak wielkiej, tak wspaniałej".

Wyłączyłem się. Może nawet na chwilę się zdrzemnąłem. Johnie walker został łapczywie pochłonięty. Wreszcie skończyła. Niepewnie podniosłem się do pionu i zawołałem:

Bravo.

Magnifique.

⁂

Następna rzecz, jaką pamiętam, to że jestem na scenie i zdzieram z niej ciuchy. To było

pełne potu

głośne

brutalne.

Mgliście sobie przypominam, jak zanurzyła głęboko zęby w mojej szyi, a ja ryknąłem:

– Ty pieprzona wampirzyco!

Potem leżałem na plecach, z trudem łapiąc oddech.

– Czy mam wierzyć, że doceniłeś mój występ?

Który?

Zwinąłem się w kłębek i straciłem świadomość.

Ktoś mnie szarpał, a ja próbowałem go odepchnąć.

Wreszcie usiadłem. Stał nade mną Jordan.

– Musisz coś zobaczyć – oświadczył.

– Teraz?

Próbowałem skupić wzrok na zegarku. Kosztowało mnie to sporo wysiłku. Trzecia czterdzieści pięć.

– Jezu – jęknąłem. – Czy to nie może zaczekać?

– To niezwykle pilne. Zaczekam w kuchni.

Potrząsnąłem głową. Duży błąd. Łeb mi pękał. Nie wspominając o tym, co działo się w moim brzuchu. Gdy Jordan doszedł do drzwi, dodał:

– Nie zaszkodziłoby też się ubrać.

Zmagając się z bólem, wciągnąłem dżinsy i zmiętą białą koszulę. Potem zwymiotowałem.

Jordan trzymał latarkę i spojrzał na mnie. Skinął głową i wyszedł na zewnątrz. Było całkiem ciemno. Jordan przeciął trawnik i zatrzymał się przy wiązie. Zaczekał, aż do niego dojdę.

– Gotowy? – spytał.

– Na co?

Skierował mocny strumień światła na koronę drzewa. Na grubej gałęzi wisiał Billy Norton. W miejscu jego krocza ziała czarna dziura.

– Jezu – mruknąłem.

Padłem na kolana i zacząłem wymiotować. Jordan wyłączył latarkę.

– Przyjaciel? – spytał cicho.

– Tak.

Potem wyjął małą flaszkę i paczkę papierosów. Zapalił jednego i mi go podał. Potem zdjął zakrętkę z flaszki i podsunął mi ją. Wypiłem całą, a on powiedział:

– Brandy i porto.

Gdy ta mieszanka dotarła do mojego żołądka, wpierw zamierzał się jej pozbyć, ale jednak zatrzymał. Byłem w stanie zapalić papierosa.

Starałem się nie patrzeć na Billy'ego.

– Zauważyłeś jego rękę? – spytał Jordan.

– Co?... Nie.

– Brakuje palców na prawej dłoni, to podpis.

– Co?

– Vosnok. Wschodnioeuropejski pluton egzekucyjny. Od kiedy otwarto bramy, są bezrobotni. Londyn przyciąga kanalie.

– Kerrkovian!

Jordan skinął głową.

– Sądzę, że nie należy mieszać w to policji? – spytał.

– Byłbym wdzięczny.

***

Pochowaliśmy go za domem. To była ciężka praca, przynajmniej dla mnie. Na kacu kiepsko się macha łopatą. Zalewał mnie pot. Poza tym byłem boso i ziemia ślizgała mi się pod nogami. Jordan kopał z łatwością i w równym tempie.

– Wygląda na to, że wcześniej już to robiłeś.

– Wiele razy.

Nie zdobyłem się na pytanie, czy robił to w tym miejscu. Czasem lepiej nie drążyć tematu. Gdy skończyliśmy, Jordan spytał:

– Powiesz coś w jego intencji?

Część mnie chciała zawołać: krzyżyk na drogę! Ale skinąłem głową i powiedziałem:

– Żegnaj, Billy.

Jordanowi to wystarczyło. Skierował się w stronę domu. Poszedłem za nim. W kuchni zostawiałem błotniste ślady.

– Przepraszam – powiedziałem.

Wyjął skądś te paczuszki ze szwajcarskim proszkiem i zaczął przyrządzać uzdrawiający eliksir. Mój umysł zaczął błądzić.

W więzieniu nigdy się nie wyświadcza przysług ani się z nich nie korzysta. Bo konsekwencje mogą być groźne. Tylko raz złamałem tę zasadę. Dla faceta, który nazywał się Craig. Ochroniłem go raz, gdy postąpił nierozważnie. Potem przeważnie żarliśmy razem. Nawet proponował mi swój deser.

Jego brat był gliniarzem. Nie jakimś tam byle psem, tylko znanym detektywem, który zapuszkował więcej gwałcicieli dzieci niż Andrew Vachss. Ale wreszcie otchłań upomniała się o niego. Pewnej nocy się upił i zaczął szukać dzieciaka do seksu. Gdy wytrzeźwiał, natychmiast pojechał do domu i się zastrzelił. Tylko Craig znał powód jego samobójstwa. Dla gliniarzy pozostał bohaterem i po prostu „zjadł swój pistolet". Potem Craig oderwał oczy od żarcia i nawiązał ze mną pełny kontakt wzrokowy. Skazani nigdy tego nie robią, chyba że mają na poparcie nóż albo rurkę.

– Puenta tej historii jest taka, że ja unikam wszelkiej żarliwości. Gdy gangi prześladują tych, co molestowali dzieci, ja się przed tym powstrzymuję.

Zrozumiałem, o co mu chodzi. Od wielu dni w więzieniu narastało gorączkowe napięcie. Zwykle kulminacją było polowanie na przestępców seksualnych.

– Nie zamierzałem się przyłączać – powiedziałem.

Wciąż patrząc mi w oczy, odparł:

– Przekonanie o własnej nieomylności jest bardzo zaraźliwe. Ludzie dają się temu porwać.

Nie spierałem się z nim. Spłacał swój dług.

Jordan szturchnął mnie i podał kubek.

– Pij – polecił.

Rany, co to był za towar. Byłem cały w skowronkach, czułem się, jakby moje ciało odmłodniało.

– Co zrobisz z tym Kerrkovianem? – spytał.

– Odnajdę go.

– Tak.

Zawahałem się, ale on cierpliwie czekał.

– A potem go zabiję – dodałem.

– Będzie ci potrzebny pomocnik.

– To nie twoja walka.

Skrzyżował ramiona i powiedział:

– Facet wchodzi na moją ziemię, wiesza mi trupa przed oknem, a ty sądzisz, że nadstawię drugi policzek?

– Kto zajmie się aktorką, gdy obaj wyjedziemy?

– Zrobię zapasy.

Wstałem i powiedziałem:

– Dobra… ruszamy na łowy.

– Masz broń?

– Mam… a ty?

Uśmiechnął się do mnie. W tym uśmiechu nie było śladu humoru.

⁂

Włączyłem radio, żeby łatwiej zasnąć. Dire Straits robili swoje gitarowe riffy, leciał ten kawałek o Dixie, naładowany pogróżkami. Miałem nadzieję, że Kerr-kurwa-kovian tego słucha.

Następnego dnia Jordan przeprowadził test. Z moim samochodem.

– Chcę, żebyś podszedł podejrzliwie do samochodu i uważnie zlustrował tylne siedzenia.

Tak też zrobiłem. Pociągnąłem za klamkę, drzwi się nie otwierały. Zajrzałem przez okno. Dostrzegłem tylko wymięty koc na podłodze i puste siedzenia. Zastukałem w okno, koc się poruszył i wyłonił się spod niego Jordan.

– Jak ty to robisz, że potrafisz zrobić się taki mały? – spytałem.

Uśmiechnął się ze smutkiem i odparł:

– Lata niewoli.

Zapytałem o rzecz oczywistą:

– Dlaczego tylne drzwi się nie otwierają?

– To stary samochód, sprawne są tylko przednie.

– I on w to uwierzy?

– Lepiej, żeby tak było.

Namierzenie go zajęło nam trzy noce. Przeszukaliśmy Clapham, Streatham, Stockwell, Kennington i wreszcie znaleźliśmy go w klubie w Brixton. Miałem ze sobą glocka. Nie wiedziałem, w co jest uzbrojony Jordan, ale miałem nadzieję, że to coś porządnego. Zaparkowaliśmy parę przecznic od klubu, do którego wszedł Kerrkovian.

– Daj mi pistolet – powiedział Jordan.

– Co?

– Przeszuka cię.

– Aha.

– Nie życzę ci szczęścia, bo takie sprawy wymagają jedynie dogrania w czasie i odwagi.

– Zadowolę się szczęściem.

Gdy wysiadłem, powiedziałem:

– Do zobaczenia.

– Nie zobaczysz mnie.

Bramkarz przy drzwiach był upierdliwym typem i zamierzał mnie przeczołgać.

– Wstęp tylko dla członków – oświadczył.

– Ile?

Obrzucił mnie wyrachowanym spojrzeniem i rzucił:

– Dwadzieścia pięć.

Odliczyłem banknoty i spytałem:

– Nie dostanę jakiejś karty wstępu czy coś?

– Zapamiętam cię.

– O rany, to jestem spokojny.

Wszedłem do środka. Był ścisk. Brixtońska mieszanka:

dredziarze

goci

transwestyci

Irlandczycy

łobuzy

skorumpowani gliniarze.

Zauważyłem Kerrkoviana, który siedział przy stoliku w kącie razem z punkiem. Cholera, pomyślałem.

Podszedłem do nich.

– Cześć, chłopaki.

Punk uśmiechnął się znacząco.

– Mitchell – oznajmił.

Kerrkovian miał na sobie czarny garnitur i wyglądał jak niedojebany Bryan Ferry.

– Wiele o tobie słyszałem – powiedział.

Miał pseudoamerykański akcent. Tak jakby obejrzał wszystkie najgorsze filmy klasy B. Miał też zepsute zęby – w Europie Wschodniej kuleje opieka dentystyczna. Wstał i spytał:

– Kupić ci piwo?

– Nie teraz. Słyszałem, że mnie szukałeś.

– Zgadza się, koleś.

– No dobra, to może się przejedziemy. Mój samochód stoi na zewnątrz.

– Bądź realistą – parsknął punk.

Spojrzałem na Kerrkoviana i powiedziałem:

– Chyba nie boisz się ze mną jechać, co?

Uśmiechnął się, obnażając wszystkie przegniłe trzonowce na przodzie.

– Nie mam broni, możesz mnie przeszukać.

Tak zrobił. To był klub w Brixton, więc nikt nawet okiem nie mrugnął.

– Co za głupota – rzucił punk.

– To jak, jedziesz? – spytałem.

– Jeśli mój nowy przyjaciel też pojedzie.

Wzruszyłem ramionami. Ruszyłem przodem. Gdy podeszliśmy do samochodu, powiedziałem:

– Tylne drzwi się nie otwierają.

Punk wysunął się do przodu, zajrzał przez tylne okna.

– Nic tam nie ma – powiedział.

Usiadłem za kierownicą, punk wcisnął się w środek, a Kerrkovian zajął siedzenie pasażerskie.

– Skądżeś wytrzasnął tego rzęcha? – rzucił punk.

Gdy włączyłem stacyjkę, Jordan poderwał się i okręcił drut wokół szyi Kerrkoviana. Ja grzmotnąłem punka łokciem w twarz, a potem walnąłem jego głową w deskę rozdzielczą. Kerrkovian wierzgał i młócił rękoma, ale Jordan dobrze się zaparł kolanem o siedzenie. Wydawało mi się, że minęła godzina, zanim Kerrkovian sflaczał, oczy wyszły mu z orbit.

– Jordan... już możesz go puścić – powiedziałem.

– Z takim padalcem nigdy za wiele ostrożności.

– Jezu, prawie odciąłeś mu głowę.

Jordan go puścił. Ja włączyłem silnik i wynieśliśmy się stamtąd.

– Wracamy do Holland Park – rzekł Jordan.

Przednie siedzenie było zalane krwią. Jordan zarzucił na nich koc.

– Co z tym chłopakiem? – spytałem.

– Może pomóc nam kopać.

Zaczął lać silny deszcz, który pomógł ukryć tłumoki na przednim siedzeniu. Krew przeciekała mi przez buty i chlupała pod hamulcem.

Nim dotarliśmy do Holland Park, rozpętała się prawdziwa ulewa.

– Co z aktorką? – spytałem.

– Będzie spała do południa.

– Jesteś pewien?

– Upewniłem się co do tego. Podjedź pod garaż.

Tak zrobiłem.

Wysiedliśmy i weszliśmy do środka. Jordan wyjął płaszcze przeciwdeszczowe i powiedział:

– Przywieź taczkę.

Potem wwieźliśmy Kerrkoviana i punka do garażu. Punk zaczął odzyskiwać przytomność.

– Wyjmij wszystko z ich kieszeni – zarządził Jordan.

Z kieszeni Kerrkoviana wyjąłem

sig sauera .45

portfel

papierosy

sztylet

i kawałek papieru z numerem telefonu.

To był numer Ganta.

Z kieszeni punka wyjąłem

browninga

gruby plik banknotów

miętówki

prezerwatywy

kokainę.

Jordan napełnił wiadro wodą i chlusnął nią na punka.

Zacharczał, zakrztusił się, a potem powoli otworzył oczy. To musiało być jak koszmarny sen. Dwie postaci w długich płaszczach przeciwdeszczowych, burza i trup.

– Złamałeś mi nos – powiedział.

– Wstawaj, masz robotę – warknął Jordan.

Podniósł się chwiejnie na nogi.

– O co chodzi? – jęknął.

– Zamknij się, to może przeżyjesz – odparł Jordan.

Punk się zamknął.

– Gdzie pochowamy Kerrkoviana? – spytałem.

– Pod wiązem, tam gdzie on umieścił twojego przyjaciela.

Jordan sięgnął na półkę w głębi, wyjął butelkę brandy i podał mi ją. Wypiłem solidny łyk i podałem butelkę punkowi.

Tak się trząsł, że ledwie mógł utrzymać butelkę. Brandy lała mu się po torsie.

– Przytrzymaj dwoma rękami – poradziłem.

Zakrztusił się, ale wypił. Podałem butelkę Jordanowi, który pociągnął mały łyk. Punk spojrzał na mnie.

– Panie Mitchell, niech pan nie pozwoli mu mnie zabić – poprosił.

Panie!

– Oczywiście że nie – odparłem.

– Pomóż mi zdjąć mu drut z szyi – polecił Jordan.

Odwróciliśmy Kerrkoviana na plecy, głowa latała mu na boki, zęby przegryzły dolną wargę.

Punk zacharczał i zwymiotował.

Drut miał dwa drewniane uchwyty. Bardzo wyrobione. Nie chciałem o tym myśleć. Każdy z nas chwycił za jeden uchwyt i pociągnęliśmy. Drut wyszedł cały, ale bynajmniej nie czysty. Jordan wytarł go o garnitur martwego mężczyzny. Potem się wyprostował, odchrząknął i splunął na niego.

– Podnosimy – komenderował.

Wrzuciliśmy ciało na taczkę. Jordan wziął sig sauera, zważył go w dłoni.

– Najbardziej zbliżony do niezacinającego się automatycznego – powiedziałem.

Machnął pistoletem w stronę punka.

– Pchaj taczkę – polecił.

Burza szalała w najlepsze. Nawet przez nieprzemakalny płaszcz czułem smaganie deszczu. Punk miał trudne zadanie z pchaniem taczki, ale wreszcie dotarliśmy do wiązu. Jordan rzucił łopatę na ziemię.

– Bierz się do roboty – rozkazał.

Punk otarł krew i śluz z pogruchotanego nosa.

– Sam?

– Zrób to.

Błoto nieco ułatwiało pracę, chociaż trochę się na nim ślizgał.

Jordan podał mi flaszkę, piłem jak obłąkaniec.

Wreszcie grób został wykopany. Jordan pochylił się nad taczką, wyjął obcęgi z kieszeni płaszcza i odciął Kerrkovianowi mały palec.

Punk jęknął, a ja powiedziałem:

– Jezus Maria!

Trzask kości przypominał wystrzał z pistoletu. Potem Jordan przechylił taczkę i ciało spadło do grobu. Odgłos, z jakim grzmotnęło o ziemię, był jak plaśnięcie w piekło. Jordan wręczył mi sig sauera.

– Co? – spytałem.

Spojrzał mi prosto w oczy i powiedział:

– Zauważyłem, że twoja mowa jest skażona amerykanizmami, więc, że tak powiem… twój wybór, koleś.

Punk zorientował się, co jest grane, i jęknął błagalnie:

– O Boże, panie Mitchell, nie pisnę ani słowa…

Strzeliłem mu w czoło. Zachwiał się, a potem runął do dziury. Jordan chwycił łopatę, zaczął zasypywać grób. Nie ruszyłem się z miejsca, po prostu stałem, w strugach deszczu, z pistoletem zwisającym u boku.

Jordan wyprostował się i zaproponował:

– Napijmy się herbaty.

*
**

Przy kuchennym stole, gdy Jordan zaparzył herbatę, powiedziałem:

– U Mickeya Spillane'a bohaterowie zawsze piją whisky, bo nie wie, jak się pisze koniak.

Nie odpowiedział.

Nie przejąłem się tym.

Postawił dwa kubki z parującą herbatą na stole i spytał:

– Ciasteczka?

– Masz rich tea?

– Tylko mikado.

– W takim razie dziękuję.

Wyjął butelkę glenliveta spod zlewu.

– Czy ty masz wszędzie pochowane butelki? – spytałem.

– Nie tylko butelki.

– Aha.

Odkręcił korek i dolał alkoholu do herbaty.

Upiłem trochę. Smakowało jak herbata z whisky.

Skręciłem papierosa i podałem mu. Wziął go, a ja zacząłem robić następnego. Zapaliliśmy i po chwili siedzieliśmy w kłębach dymu.

– Jordan, skąd masz to imię? Chyba nie ma nic wspólnego z koszykówką, co? – spytałem.

Uśmiechnął się szyderczo.

– Mój ojciec urodził się nad brzegiem Jordanu.

– Myślałem, że jesteś Węgrem.

– Przenieśliśmy się.

– Czy słyszałeś kiedyś taki cytat: „Jestem pełen trumien; jak stary cmentarz".

Zgasił papierosa i odparł:

– To jeszcze nie koniec.
– Obawiam się, że masz rację.
Wstałem i dodałem:
– Muszę się przespać.
– Potrzebujesz tego.

CZĘŚĆ TRZECIA

Akt końcowy

Jordan wysłał obcięty palec Gantowi.

Pięknie opakowany.

Złote pudełko

Szeleszcząca bibułka.

Czerwona aksamitna kokardka.

– Ruchomy palec napisał...* – powiedział do mnie.

– Jesteś porąbany – odparłem.

Znów zacząłem się spotykać z Aisling. Na początku się dąsała, trzymała mnie w niepewności, ale wreszcie zgodziła się na spotkanie. Umówiliśmy się w Sun In Splendour w Portobello... Kupiłem sobie nowe buty. Firmy JP Tod, naprawdę niczego sobie. To draństwo jest cholernie drogie, lecz stopy, ho ho, są naprawdę wdzięczne.

Brązowe buty, do tego płócienne spodnie od Gapa, kremowa bluza i marynarka od Gucciego. Wyglądałem całkiem smakowicie.

Aisling miała na sobie zabójczą czarną sukienkę.

– Zabójcza sukienka – powiedziałem.

Uśmiechnęła się. Sytuacja zdawała się obiecująca.

– Ty też się nieźle prezentujesz – zauważyła.

– Podobają ci się buty?

---

* Aluzja do tytułu powieści Agaty Christie *The Moving Finger* (polskie wydanie nosi tytuł *Zatrute pióro*).

– Bally?

– Nie.

– Podróbka?

– Bynajmniej.

– O przepraszam, zapomniałam, że jesteś mężczyzną o wyrafinowanym smaku.

– Czy to cytat z *Sympathy for the Devil* Stonesów?

– Nie wiem.

– To chyba nie twoje czasy.

Zignorowała uwagę i spytała:

– Dokąd idziemy?

– Masz ochotę na kolację?

– Niestety mam ochotę na ciebie.

Z Irlandczykami jest tak, że bez wątpienia są wygadani, i to bardzo. Ale o czym właściwie oni gadają?

Cholera wie.

– Mam pomysł – powiedziała. – Wypożyczmy sobie jakiś film, zamówmy pizzę, a potem będziesz mógł odkryć, co jest pod tą zabójczą sukienką.

– Czy to nie będzie wyglądało trochę dziwnie na ulicy?

Poszliśmy do niej. Ledwie weszliśmy, była na mnie.

Rozkołysane biodra, usta złączone nadzieją. Gdy było po wszystkim, wydyszałem:

– A co z tą pizzą?

Później oglądaliśmy *Trzy kolory: Czerwony.* Nie jestem pewien, czy zrozumiałem, o co tam chodziło. Aisling przez większość filmu płakała. Nienawidzę pieprzonych napisów.

– Podobało ci się? – spytała.

– Bardzo.

– Ale powiedz prawdę, nie obrażę się.

Będąc wciąż w miłym błogostanie po seksie, wysiliłem się na opinię:

– Uwielbiam francuskie filmy, mają pewien... *je ne sais quoi.*

Kupiła to.

– O, tak się cieszę, Mitch – powiedziała. – A w dodatku mówisz po francusku.

Tego zdania nauczyłem się w więzieniu. Seryjny gwałciciel wykrzykiwał je, gdy przychodziła po niego samozwańcza straż obywatelska.

Robiła to dwa razy w tygodniu.

– Jasne – mruknąłem.

Usiadła, prześcieradło zsunęło się jej z piersi. Mógłbym teraz mówić choćby i po rosyjsku.

– To taki świetny film, jest częścią trylogii – powiedziała. – Możemy jeszcze sobie obejrzeć *Niebieski* i *Biały.*

Skinąłem głową, sięgnąłem po tytoń i zacząłem skręcać papierosa. Przyglądała się temu zafascynowana.

– Chcesz jednego? – spytałem.

– To ty jesteś moją używką.

Ho, ho.

Wreszcie doszliśmy też do pizzy podgrzanej w mikrofalówce. Gdy wsuwałem ją, a sos ściekał mi po brodzie, Aisling spytała:

– Wszystkie apetyty zaspokojone?

Skinąłem głową.

Radio grało cicho. Leciały niezłe kawałki.

Gram Parsons

Cowboy Junkies

Dopóki Phill Collins nie zaczął masakrować *True Colors*.

– O czym myślisz? – spytała Aisling.

Znam tę odpowiedź, więc odparłem:

– O tobie, kochanie.

Roześmiała się, a ja dodałem:

– Nie potrzebujemy światła, twoje oczy rozjaśnią każde wnętrze.

– Gadka-szmatka.

W radio puścili Iris DeMent *My father died a year ago today*.

Aisling zaczęła płakać. Przysunąłem się, żeby ją objąć, ale odprawiła mnie gestem. Gdy przebrzmiała ostatnia niepokojąca nuta piosenki, siedziała w milczeniu. Wreszcie się odezwała:

– Mój tata był alkoholikiem. Brat powiedział, że przeżyłam dzieciństwo jak jeleń pochwycony przez światła pędzącego samochodu. Przez wiele lat radziłam sobie tak, że przesuwałam ojca z działu dramatu do działu rozrywki. Kiedy się zapił na śmierć, byłam zadowolona. W szpitalu oddano mi jego rzeczy osobiste... wiesz, co to było?

Nie miałem pojęcia.

– Nie mam pojęcia – odparłem.

– Pas harcerski i różaniec.

Przez chwilę bawiła się spieczonym kawałkiem pizzy.

– Wyrzuciłam różaniec do rzeki – powiedziała wreszcie.

– A pas zatrzymałaś?

– To był cały jego majątek.

– Potrafisz przygadać, wiesz?

Uśmiechnęła się i powiedziała:

– Chcesz usłyszeć bzdurę?

– Co?

– Pieprzoną bzdurę.

– No...

– Dziś ciągle się gada o Nowej Kobiecie. Która nie chce tradycyjnych rzeczy. Ta kobieta chce mieć męża, dom i dzieci.

Milczałem. Sięgnąłem po drinka.

– Chcę ciebie – powiedziała.

Potem się pochyliła, usiadła na mnie okrakiem i zaczęła się ze mną kochać.

Nie opierałem się. Potem zapytała:

– Czyż nie byłabym szalona, gdybym nie chciała?

– Byłabyś.

Ja nie czułem się szalony. Spędziłem z nią cały następny dzień. Poszliśmy na targ Portobello, śmialiśmy się ze śmieci, które tam sprzedają. Pojechaliśmy na West End i zrobiliśmy sobie zdjęcie w Trocadero. O dziwo, zdjęcie było całkiem udane. Aisling wyglądała młodo i olśniewająco, a ja... wyglądałem, jakbym był zadowolony, że ona tak wygląda. Bo byłem.

Gdy wróciłem do Holland Park, biła północ. Dom był pogrążony w ciemności. Sprawdziłem, co u aktorki, dotknąłem jej policzka, mruknęła coś przez sen.

Ani śladu Jordana.

Poszedłem do swojego pokoju i otworzyłem piwo. Czułem to znużenie w kościach, które pochodzi z dobrego samopoczucia. Nie zastanawiałem się nad nim zbytnio, aby go nie stracić. Czy kochałem Aisling? Bez dwóch zdań: sprawiała, że czułem się jak człowiek, którym niegdyś miałem nadzieję być.

Wypiłem piwo, było zimne i przyjemne. Zdjąłem ubranie i położyłem się do łóżka. Rany, ale byłem wykończony. Wyprostowałem nogi. Moje palce dotknęły czegoś wilgotnego i natychmiast się skurczyły. Wyskoczyłem z pościeli, czując narastające przerażenie. Zdarłem kołdrę. Zobaczyłem mnóstwo zakrzepłej krwi. Gdy przyjrzałem się bliżej – zauważyłem głowę psa. Psa Briony. Jak on miał, kurwa, na imię… Bartley? Barley-Jack.

Słyszeliście kiedyś *Kaledonię* Dolores Keane?

Ja wtedy ją usłyszałem.

Nie wiem dlaczego.

Gdy wyskoczyłem z koszmarnego łóżka, ta piosenka tłukła mi się po głowie.

Chyba jakieś szaleństwo.

Później poczułem, jak ktoś chwyta mnie za ramiona, a potem wymierza mi siarczysty policzek.

– Hej, uważaj z tym policzkowaniem – powiedziałem.

– Krzyczałeś, a nie chcemy przecież obudzić pani – wyjaśnił Jordan.

– Broń Boże.

Podszedł do łóżka, mruknął coś po węgiersku. Był to zapewne odpowiednik „o kurwa!".

– To pies mojej siostry – wytłumaczyłem.

– Więc co my tu jeszcze robimy? Jedźmy.

Włożyliśmy płaszcze przeciwdeszczowe, wzięliśmy pistolety i wsiedliśmy do mojego samochodu. Był mały ruch, w pół godziny przemknęliśmy przez miasto.

Briony mieszkała w domu przy Peckham Road. Spokojna uliczka, z dala od świateł.

Dom był rzęsiście oświetlony.

– Chcesz od frontu czy od tyłu?

– Od frontu.

Glocka miałem w prawej kieszeni. Drzwi były uchylone. Pchnąłem je lekko. Wszedłem na palcach do przedpokoju. Briony siedziała w fotelu, cała we krwi. Zrobiłem gwałtowny wdech, ale po chwili się zorientowałem, że to krew psa, którego trzyma na kolanach.

Patrzyła przed siebie niewidzącym wzrokiem.

– Bri? – odezwałem się.

– O, cześć.

Wszedłem do pokoju, zbliżyłem się do niej i spytałem:

– Dobrze się czujesz, kotku?

– Zobacz, co zrobili z moim maleństwem.

– Kto to zrobił?

– Nie wiem. Gdy wróciłam do domu, znalazłam go w łóżku. Gdzie jego głowa, Mitch?

Jordan wszedł do pokoju, a ja powiedziałem:

– Bri, to mój przyjaciel Jordan.

– O... cześć, Jordan, chcesz herbaty?

Pokręcił głową.

– Bri, dasz mi potrzymać Bartleya-Jacka?

– Jasne.

Wziąłem krwawe szczątki z jej kolan. Ciało pieska było jeszcze ciepłe. To doprowadziło mnie do szału.

– Wyczyszczę twoją siostrę – powiedział Jordan.

Pomógł jej wstać i wziął ją za rękę. Zadzwonił telefon. Odebrałem i usłyszałem piskliwy chichot.

Ruszyłem do drzwi, ale Jordan mnie zatrzymał.

– Dokąd idziesz? – spytał.

– To Gant.

– I?

– Zabiję skurwiela.

Odwrócił mnie i powiedział:

– Przemyśl to sobie: chcesz złapać go, gdy nie będzie na to zupełnie przygotowany. Ma rodzinę?

– Córkę w wieku szkolnym.

– A więc wpadniemy na śniadanie.

– Gdy dziewczynka wyjdzie do szkoły.

– Jak sobie życzysz.

– Co z Briony?

– Śpi. Dałem jej środek uspokajający.

– Kurwa, ty jesteś chodzącą apteką.

Uśmiechnął się.

– Między innymi.

Jordan wyszedł na jakieś pół godziny, wrócił z pełną torbą.

– To pomoże nam przetrzymać noc – oświadczył.

Wyjął sześciopak budweisera, bagietkę, szynkę, pomidory, korniszony, majonez.

– Gdzieś ty dorwał to gówno?

– To Peckham.

Bez dwóch zdań.

Kilka browarów później powiedziałem:

– Matt Scudder Lawrence'a Blocka powiedział: „Zima to nic takiego, ubieraj się ciepło i jakoś przez nią przejdziesz".

Pogryzając bagietkę, spytał:

– A co to właściwie znaczy?

– Nie wiem, ale jakoś mi pasuje.

***

Opracowaliśmy plan ataku na Ganta. A raczej braliśmy pod uwagę różne opcje.

Rezygnowaliśmy

modyfikowaliśmy

ustalaliśmy, co i jak.

Wreszcie Jordan powiedział:

– Okej, może być. Niech to wygląda na nieudaną transakcję narkotykową.

– Jak to zrobimy?

Wyciągnął torbę i wyrzucił z niej na stół

strzykawkę

heroinę

i inne różności.

– To mój towar! – powiedziałem.

– Wiem.

Wstałem i spytałem:

– Przeszukiwałeś mój pokój?

– Codziennie.

– Ty skurczybyku, co ty kombinujesz?

– Słyszałeś o Anthonym de Mello? – spytał. – Oczywiście: nie. Przeczytałeś parę kiepskich kryminałów i wydaje ci się, że znasz życie.

Nie powiedział: ty kretynie.

Ale pojawiła się taka sugestia.

O tak.

Ciągnął dalej:

– De Mello twierdził, że dziewięćdziesiąt procent ludzi śpi. I nigdy się nie budzi. Kiedy było powstanie na Węgrzech?

– Co to ma być, jakiś quiz? Co mnie, kurwa, obchodzi powstanie na Węgrzech.

– *Voilà*. Nie znasz nawet podstawowego założenia kryminałów. *Cherchez la femme*. Dorastałem, przyglądając się mężczyznom, którzy byli uczciwymi, pełnymi współczucia ludźmi. Musieli tropić i eksterminować morderców dzieci. Robiąc to, musieli stać się potworami, zmienić się w kamień. Nigdy się nie uśmiechali.

Nie miałem pojęcia, do czego zmierza.

– Nie mam pojęcia, do czego zmierzasz – powiedziałem.

Wyjął z torby jakieś tabletki, ułożył je na podłokietniku fotela.

– De Mello opowiada historię o hiszpańskim kurczaku. Jajo orła spada do kurzego kojca. Z jaja wykluwa się orzełek, a kury wychowują go, jakby był ich dzieckiem. Uczy się wydziobywać pokarm z ziemi, rozwija się jak kurczaki. Pewnego dnia widzi, jak przelatuje majestatyczny ptak. Mówią mu, że to najpotężniejsze ze wszystkich stworzeń. On wraca do wydziobywania ziaren z ziemi, starzeje się i umiera, w przekonaniu, że jest kurą.

Wzruszyłem ramionami.

– Bardzo głębokie – mruknąłem.

Nie odpowiedział, więc dodałem:

– Pozwól, że opowiem ci coś o jednym z tych kiepskich kryminałów, które przeczytałem. Harry Crews! Napisał *Comic Southern Gothic*...

Przerwał mi, unosząc ręce do góry.

– Najwidoczniej nigdy nie słyszałeś o świni.

– Jakiej, kurwa, świni?

– No o tej, o której się mówi: nie próbuj uczyć świni śpiewać. Tylko stracisz czas i rozzłościsz świnię. Przepraszam za przekonanie, że potrafisz śpiewać.

Briony zaczęła krzyczeć i oderwała nas od tych rozważań, które nie wiadomo do czego mogły nas doprowadzić.

Spała, ale jęczała przez sen. Ukołysałem ją w ramionach i się uspokoiła. Sam też trochę się zdrzemnąłem i śniły mi się

bezgłowe świnie
latające kury i
nieme trupy.

Przecknąłem się, gdy Jordan dotknął mojego ramienia i powiedział:

– Pora iść.

Podał mi kubek kawy i pigułkę. Wziąłem jedno i drugie. Briony spała głęboko, pocałowałem ją w czoło. Jordan obserwował nas z nieodgadnionym wyrazem twarzy.

– Tylko martwi znają Brooklyn – mruknąłem.

To był tytuł książki Thomasa Boyle'a. Jordan może i nie chciał wiedzieć niczego o kryminałach, ale to jeszcze nie znaczy, że miał o nich nie słyszeć.

Włożyliśmy płaszcze przeciwdeszczowe, omówiliśmy spokojnie plan.

Czułem mrowienie w koniuszkach palców dłoni i stóp. I gwałtowny przypływ adrenaliny.

– Co się ze mną dzieje? – spytałem.

– Będziesz latał.

– Co?

– Powiedzmy, że trochę cię nakręciłem.

– Amfetamina?

– Coś w tym rodzaju.

Zaczynało świtać.

– Nie wiedziałem, że twoja siostra ma maleńkie dziecko.

– Bo nie ma.

– W szafie jest pełno ubranek niemowlęcych.

– Jej pokój też przeszukałeś?

– Siła nawyku.

Od speeda szczypały mnie oczy, musiałem szeroko je otwierać. Jordan sprawdził swój pistolet, sig sauera.

– Podoba ci się? – spytałem.

– Dziewięć milimetrów, jak mógłby mi się nie podobać?

Wyszliśmy na zewnątrz. Zamiatacz stał oparty o ścianę. Przerwa na papierosa.

Na wózku miał radio, w którym leciało *I Have a Dream* ABBY.

– Cześć wam – zagaił. Irlandczyk.

– Ładna pogoda – powiedziałem.

– Przynajmniej Sky jeszcze jej nie posiada.

Jordan zapalił samochód i ruszyliśmy w drogę. Myślałem o Harrym Crewsie i wywiadzie, jakiego udzielił mu Charlie Bronson.

Bronson powiedział:

Nie ma powodu, by nie mieć przyjaciół.

Wręcz przeciwnie. Ale nie sądzę, że powinieneś mieć przyjaciół, jeśli nie chcesz poświęcać im czasu.

Ja nikomu nie poświęcam czasu.

Dojechaliśmy pod dom Ganta w dwadzieścia minut. Chyba nieźle grzaliśmy. Była ósma. Mój organizm działał na najwyższych obrotach. Stopy i dłonie mi drżały, po głowie tłukły się szalone myśli. Ulica była obsadzona drzewami.

– To bulwar – powiedział Jordan.

– Cały Londyn to pieprzony bulwar.

Ulicą wolno podjechał autobus szkolny.

– Znasz *Spotkania z wybitnymi ludźmi*?

– Ze zdesperowanymi ludźmi... to tak.

Zignorował moją uwagę i ciągnął dalej, obserwując autobus:

– Pochłonąć pisma

Gurdżijewa

Uspienskiego

Sivanandy

Yoganandy

Bławackiej

Baileya

...Ach... a potem zaniechać oświecenia, znów wejść w mrok.

Straszliwie mnie kusiło, by wtrącić coś o drużynie Liverpoolu, ale bałem się, że mógłby mnie zastrzelić. Drzwi w domu Ganta się otworzyły i stanęła w nich kobieta trzymająca za rękę dziewczynkę. Gmerała przy tornistrze małej, poprawiła jej płaszczyk, a potem uściskała. Dziecko wsiadło do autobusu. Gdy kobieta obserwowała jego odjazd, na jej twarzy malowała się rozterka. Po chwili weszła do środka.

– Idziemy – rzucił Jordan.

Gdy szliśmy, spytał:

– Z przodu czy z tyłu?

Uśmiechnąłem się ponuro, zacisnąłem zęby i z trudem przełknąłem ślinę.

Jaka jest ścieżka dźwiękowa do morderstwa? Ja miałem w głowie *Famous Blue Raincoat* Leonarda Cohena. Gdy doszedłem do drzwi, nuciłem fragment o muzyce na Clinton Street. Uwielbiam ten wers.

Nacisnąłem dzwonek.

Melodyjka!

Co gorsza, była to *Una paloma blanca*! Słowo daję. Ile czasu upłynęło od ich wakacji?

Otworzyła drzwi.

Walnąłem ją pięścią prosto w twarz. Runęła w tył jak worek ziemniaków. Rozejrzałem się. Jakbym oczekiwał mleczarza, który powie: „Tobie też nie zapłaciła, tak?".

Złapałem ją za włosy, wciągnąłem do środka, zamknąłem drzwi. Była nieprzytomna. W korytarzu pojawiła się jakaś postać. W panice sięgnąłem po pistolet. Jordan... pokręcił głową. Potem przyłożył palec do ust i wskazał na górę.

Gant siedział w łóżku, z tacą śniadaniową na kolanach. Zamurowało go na mój widok.

– Dzieńdoberek – powiedziałem.

Właśnie podnosił do ust filiżankę z kawą. Zastygł w bezruchu. Podszedłem i wytrąciłem mu ją z ręki. Grzmotnęła o ścianę.

Jordan stał przy drzwiach. Walnąłem Ganta na odlew i powiedziałem:

– Chciałeś się ze mną widzieć, tak? No to, kurwa, jestem.

Nadal nie był w stanie się odezwać. Chwyciłem go za piżamę, wywlokłem z łóżka. Jordan wyjął z kieszeni płaszcza młotek i zaczął rozwalać lustra.

– Ej, dajcie spokój – odezwał się Gant.

Wyjąłem glocka i trzymając go w pogotowiu, spytałem:

– Rajcowało cię to, jak ścinałeś psu głowę?

– Co?

Straciłem panowanie nad sobą i zacząłem okładać go pistoletem, dopóki Jordan nie chwycił mnie za rękę.

– Straci przytomność – zauważył.

Wychodząc powoli z nakręcania speedem, zobaczyłem, że mam całe ręce we krwi. Nie swojej.

– Czas na nas – przypomniał Jordan.

Gantowi udało się skupić na mnie jedyne zdrowe oko.

– Ubijmy interes – zaproponował.

Strzeliłem mu w usta. Jordan rozrzucił narkotykowe utensylia na łóżku, a potem wpakował kulkę w głowę Ganta. Splądrowaliśmy dom i znaleźliśmy

dwadzieścia tysięcy gotówką

mnóstwo krugerrandów

trzy pistolety

zapas koki.

Zabraliśmy wszystko.

Gdy zbieraliśmy się do wyjścia, żona zaczęła odzyskiwać przytomność. Jordan kopnął ją w głowę i spytał:

– Chcesz to podpalić?

– Nie, nienawidzę pożarów.

Kiedy wjechaliśmy do Peckham, powiedziałem:

– Wyrzuć mnie tutaj, chcę się zobaczyć z przyjacielem.

– Jesteś pewien? Ciągle jeszcze masz odlot.

– To martwy przyjaciel.

Jeśli miał na to jakąś odpowiedź, zachował ją dla siebie.

– Te wszystkie rzeczy... – wskazał to, co zgarnęliśmy – ...są twoje.

– Co?

– To twoje.

– Żartujesz, można by z tego wykroić budżet małego kraju.

– Nie potrzebuję pieniędzy.

– Skoro nalegasz.

Może to przez speed, ale wymknęło mi się:

– Myślę, że się ożenię.

Po raz pierwszy ujrzałem na twarzy Jordana wyraz radości. Ujął moją dłoń i uścisnął ją ciepło.

– Wspaniała myśl – powiedział. – Tylko nie jestem pewien, czy Lillian jest wolna.

Dopiero po chwili dotarł do mnie sens jego słów.

– Lillian? A kto tu, kurwa, mówi o Lillian?

Puścił moją rękę, twarz mu spochmurniała.

– Masz kogoś innego?

– Jasne.

Potem wybuchnąłem szalonym śmiechem i zacząłem gadać bez opamiętania o Aisling.

Gdy się nieco uspokoiłem, dodałem:

– Chcę, żebyś był na ślubie, dobrze?

Otworzył drzwi samochodu i odparł:

– Idź się spotkać ze swoim martwym przyjacielem.

W kwiaciarni koło zajezdni autobusowej kupiłem bukiet kwiatów. Tak przesadziłem z jego wielkością, że kwiaciarz zaczął się denerwować. Dopóki nie wyjąłem kasy. Byłem taki otumaniony, że chciałem mu dać napiwek. Rzuciłem krugera i powiedziałem:

– Zabaw się.

Napadłem dom faceta, walnąłem pięścią jego żonę, wywlokłem go z łóżka, a potem strzeliłem mu w usta: i jak miałem teraz ustalić granice?

Chwiejnym krokiem powlokłem się na cmentarz. Facet oparty o salę bingo mruknął:

– Mój ty kwiatuszku.

Na cmentarzu dozorca postawił na grobie Joego biały krzyż.

– Cześć, Joe – powiedziałem.

Ostrożnie położyłem kwiaty na grobie. Stałem tam, pogrążony w śmierci. Opowiedziałem Joemu, co się wydarzyło. Potem dodałem:

– Tęsknię za tobą, stary.

Gdy wróciłem na Holland Park, speed wyparował i miałem koszmarny zjazd. Siedziałem na łóżku, piłem scotcha i próbowałem wyrwać się z dołka. Łupy leżały na łóżku. Powiedziałem głośno:

– A więc jestem bogaty... kurewsko bogaty.

Zadzwonił telefon.

Lillian.

– Jak się masz, kochany? – zamruczała jak kotka.

– Jestem wykończony.

– To odpocznij, kochany, pokochamy się później.

– Jasne.

– Wszystko już załatwione, kochanie.

– Naprawdę?

– O, tak, śpij, mój słodki.

Położyłem się na łóżku, pomyślałem: czy jest coś, o czym nie wiem?

Ujeżdżałem aktorkę, jakbym miał na to ochotę. Była zaskoczona moim wigorem.

– Ktoś chyba bierze witaminki.

Nabierając obrzydzenia do samego siebie, odparłem:

– Nie stąd się to bierze.

Przytuliła mnie mocno. Poczułem obrzydzenie po stosunku. Postanowiłem, że po tygodniu odejdę. Założę dom z Aisling i ochłonę.

– Zauważyłeś te kluczyki na stole? – spytała Lillian.

– Nie.

– To idź i zobacz.

– Teraz?

– Proszę, kochanie.

Wstałem, podszedłem nago do stołu. Podniosłem komplet błyszczących kluczyków. Czułem palący wzrok Lillian omiatający moje ciało. Wróciłem do łóżka i spytałem:

– Co z nimi?

Jej twarz aż jaśniała.

– To kluczyki od bmw – powiedziała.

– Fajnie.

– Twojego bmw.

– Co?

– Dziś je dostarczono. Mam nadzieję, że lubisz czerwony.

Nienawidzę pieprzonej czerwieni.

– To mój ulubiony kolor – powiedziałem.

– Och, kochanie, to dopiero początek, zamierzam głupio cię rozpieszczać.

– Nie ma takiej potrzeby.

– Ale ja chcę.

Położyła się na plecach i wiedziałem, że będę musiał zarobić na te kluczyki.

Gdy schodziłem po schodach, Jordan szedł na górę. Niósł srebrną tacę, a na niej stos listów.

– Rachunki, co? – spytałem.

– Listy od fanów.

– Co?

– Codziennie dostaje listy od swoich wielbicieli.

– Skąd wiesz, że to listy od fanów?

– Bo sam je piszę.

Następnego wieczoru miałem wpaść do Aisling. Obiecała mi „irlandzką noc".

– Na czym to ma polegać? – spytałem.

– No cóż, musisz

pić koktajl Black Velvet

jeść baraninę duszoną z ziemniakami i cebulą

słuchać Clannad

i pójść do łóżka z młodą Irlandką.

– Zapowiada się świetnie.

– Tak będzie.

Po południu wybrałem się na zakupy. Czas puścić trochę kasy. Najpierw do miasta. W samym centrum jest mały sklepik jubilerski. Właścicielem jest Chris Brady, z którym znam się od wielu lat. Wygląda jak Errol Flynn. Ma mnóstwo wdzięku i porusza się z gracją. Polecał mi lektury. Gdy byłem prawie obywatelem, Chris wspierał moją edukację. Potem zszedłem na złą drogę. Z początku mnie nie poznał.

– Mitch? – spytał po chwili.

– Nie kto inny.

Wyszedł zza lady, objął mnie i uścisnął. Co jak co, ale przytulać to ja się nie lubię. Tam, gdzie się wychowałem, jak dotkniesz innego faceta, to stracisz rękę.

– Bardzo się cieszę, że cię widzę – powiedział.

Uwierzyłem mu.

Powiedziałem mu o Aisling i swoich planach matrymonialnych.

– Wiem, czego ci trzeba.

Zniknął na zapleczu. W radiu leciało Midnight Oil *Beds Are Burning*. Łatwo wpada w ucho.

Na krześle leżał „Evening Standard". Na pierwszej stronie zdjęcie Ganta. Odwróciłem gazetę w swoją stronę, przeleciałem wzrokiem notatkę. Uznano to za porachunki narkotykowe.

Wrócił Chris i powiedział:

– To irlandzki pierścionek zaręczynowy, znany jako serce-w-dłoniach albo pierścień z Claddagh.

Spodobał mi się. Rzuciłem okiem na cenę i jęknąłem.

– Tym się nie przejmuj – uspokoił Chris.

I dał mi pięćdziesiąt procent zniżki.

Gdy zbierałem się do wyjścia, rzucił:

– Zaczekaj chwilę, mam dla ciebie książkę.

Wyjął cienki tomik. Przeczytałem tytuł.

Izzy Baia Kevina Whelana.

– Dobre? – spytałem.

– Wspaniałe.

Wymieniliśmy uścisk dłoni, a Chris powiedział:

– Wpadnij kiedyś na kolację. Sandra bardzo by się ucieszyła.

Zapewniłem go, że kiedyś wpadnę. Obaj się uśmiechnęliśmy, słysząc te jawne kłamstwa. Niektórzy przyjaciele nie oceniają cię na podstawie kłamstw, które wygadujesz.

Gdy jechałem dalej, pierścionek leżał sobie bezpiecznie w mojej kieszeni. W głowie dźwięczała mi piosenka Trishy Yearwood, *Hearts In Armor*.

Zasmucała mnie, ale nie w sposób, który mnie martwił.

Potem udałem się na Regent Street. Obiecałem sobie kiedyś, że jak będę przy forsie, kupię buty. Nie jakieś tam buty, ale weejuny. Ekspedient był lepiej ubrany niż kierownik w moim banku. Ale miał ten sam szyderczy uśmieszek na ustach.

– Czym mogę służyć, proszę pana? – spytał.

– Przede wszystkim normalnie mówić.

Gdzie ich tego uczą, do cholery? Czy jest jakaś szkoła, gdzie tresuje się ludzi w arogancji i sarkazmie?

– Weejuny, numer dziesięć, jasnobrązowe... ma pan takie?

Owszem, miał.

Włożyłem je i wszedłem do butowego nieba.

– Czy pańskim zdaniem są zadowalające?

– Świetne. Poproszę jeszcze dwie pary. Czarne i ciemnobrązowe.

Na widok rachunku przełknąłem ślinę. Szyderca spytał:

– Gotówka czy karta?

Wyłożyłem kasę i powiedziałem:

– Zgadnij.

Wyjął różne specyfiki do czyszczenia obuwia.

– Te buty wymagają starannego czyszczenia.

Zaczął rozkładać różne tubki na ladzie.

– Nie.

– Słucham?

– Nie ma to jak ślina i szmatka.

– Jak pan sobie życzy.

Wziąłem paczki i rzuciłem:

– Będę za tobą tęsknił, chłopie.

Nie odpowiedział.

Jak się jest na zakupach, koniecznie trzeba zrobić sobie przerwę i wpaść do jakiejś bajeranckiej kafejki. Mogłem to zrobić.

The Seattle Coffee Company. Mieli dziewięć różnych rodzajów kawy. Zamówiłem latte. Jak wymawiasz tę nazwę, od razu zaczynasz seplenić. Sprzedawczyni była sztucznie przyjazna. Na jej plakietce widniało imię DEBI.

– Może życzy pan sobie jakiś dodatek do kawy? – spytała.

– Jasne, kropnij mi trochę scotcha.

Uśmiechnęła się wyrozumiale i oznajmiła:

– Mamy
  wanilię
    czarną porzeczkę
      syrop klonowy.

– O nie, Debi, niech będzie sama kofeina.

Walnąłem się na sofę i wziąłem gazetę. Latte smakowała jak pianka i powietrze. Czytałem o „hesherach" – trzynastolatetnich heavy-metalowcach, i „tweakersach" – piętnastolatkach uzależnionych od metamfetaminy, znanej jako crank albo speed. W weekendy idą całą bandą w miasto:

„Bez końca krążą po tych samych centrach handlowych i nawiedzają salony z automatami do gier".

Upalają się

upijają
balangują
biją się.
Byle zabić nudę.
Jedyne przerywniki to
więzienie
aborcja
samobójstwo.

Odłożyłem gazetę. Sprzedawczyni podeszła i spytała:

– Chce pan może kartę lojalnościową?

– Co?

– Za każdym razem, gdy pan przychodzi, dziurkujemy kartę, a przy dziesiątej wizycie ma pan kawę gratis.

– Nie uznaję lojalności.

– Słucham?

– Bez obrazy, Debi, ale jesteś o wiele za młoda, by dziurkować moją kartę.

Gdy wyszedłem na zewnątrz, jakiś koleś spytał mnie, czy chcę kupić trawkę. Rozejrzałem się wokół; nikt nie zwracał uwagi na to, że prowadzi tak jawnie swój handelek.

– Czy masz karty lojalnościowe? – spytałem.

Gdy stanąłem pod drzwiami Aisling, serce biło mi mocno. Gdy otworzyła, aż jęknąłem z zachwytu.

Miała na sobie taką futerałową sukienkę. Taką, co wygląda jak halka, która się skurczyła w praniu. Mój wzrok padł na rowek między piersiami.

– Cud Wonderbra – wyjaśniła.

Cóż mogłem powiedzieć.

– Wunderbar.

Gdy wszedłem, całowaliśmy się, aż mnie odepchnęła, mówiąc:

– Zaraz, szykuję ucztę.

– Ja też.

Wyjęła jamesona i powiedziała:

– No to zaczynamy, Irlandczyku. Chcesz na gorąco?

– Nie zamierzam udawać, że mam oczywistą odpowiedź.

Dałem jej książkę, którą dostałem od Chrisa.

– Musiałem przeszukać cały Londyn, żeby znaleźć dla ciebie książkę pisarza z Galway.

– Kevin Whelan! – pisnęła. – Uwielbiam go.

– I... – dodałem.

Wyjąłem pudełko. Wzięła je powoli, ostrożnie otworzyła i zawołała:

– O Boże!

Pasował.

Z kuchni napłynął zapach dobrego jedzenia. Rzuciłem okiem na wiersz wiszący w ramce na ścianie. Jeffa O'Connella. Brzmiał następująco:

CIERPIĄCY WRAK
Szukał tej konkretnej chwili
Kiedy jedno uczucie zmieniało się w swoje przeciwieństwo
Tak jakby tam mógł znaleźć wytłumaczenie
Które pozwoliłoby wybaczyć bezduszny sposób
jej traktowania.

Poczułem grozę. Jakby ktoś czytał mi z ręki.

– Co o nim myślisz?

– Phh.

– Co to znaczy?

To znaczy, albo myślałem, że znaczy, że to dość niesamowite.

– Skąd on jest? – spytałem.

Zaśmiała się, a potem powiedziała:

– To takie irlandzkie.

– Co?

– Odpowiadać pytaniem na pytanie.

– Aha.

– Pochodzi z Galway, tak jak pierścień z Claddagh. Niesamowite, co?

Pomyślałem, że wręcz straszne.

Ciągnąc temat irlandzki, słuchaliśmy Fureys, którzy grali *Leaving Nancy*, i kochaliśmy się gorąco na sposób międzynarodowy.

– Kochasz mnie? – zapytała.

– Jestem tego bliski.

– Ożenisz się ze mną?

– Tak sądzę.

– Kiedy?

– Jak najszybciej.

Usiadła.

– O Boże, ty mówisz poważnie?

– Tak.

Wyskoczyła z łóżka i wróciła z szampanem.

– Wiesz, że mieliśmy pić koktajl Black Velvet.

– Tak?

Świetnie mnie naśladując, powiedziała:

– Pieprzyć guinnessa.

Byłem tak bliski szczęścia jak jeszcze nigdy w życiu. To znaczy dość blisko. Parodiując irlandzki akcent, spytałem:

– Chcesz, żeby ślub był wystawny?

– Chcę, żeby był szybko.

Miłość albo jej sąsiadka musiała sprawić, że byłem samolubny, niebaczny albo po prostu byłem dupkiem. Nie sprawdziłem, co u Briony. Nawet do niej nie zadzwoniłem.

Dwie noce później spałem głęboko w domu przy Holland Park. Obudziłem się dopiero po kilku dzwonkach. Chwyciłem telefon i mruknąłem:

– Co?

– Pan Mitchell?

– Tak.

– Mówi doktor Patel.

– Kto?... A tak... Jezu, która to godzina?

– Druga trzydzieści... chodzi o wypadek... o Briony.

Usiadłem.

– Co z nią?

– Widocznie przedawkowała.

– Widocznie? Co to ma być... jakaś zgadywanka?

– Staram się, jak mogę, panie Mitchell.

– Tak, tak, już jadę.

Pomyślałem sobie: najlepsza okazja, by ruszyć moje nowe bmw. Pomyślałem też, że tak naprawdę nie może być czerwone. Nawet Lillian Palmer nie kupiłaby czerwonego bmw.

Ale kupiła. Było kurewsko czerwone.

No cóż, przynajmniej jechałem po ciemku. Czy bardzo będzie się rzucać w oczy? Podjechałem gładko na światła przy Notting Hill Gate. Jazda jak marzenie. Gdy czekałem na zmianę świateł, podjechała obok mnie niebieska mazda. Napakowana czarnymi, nabuzowana rapem. Miałem spuszczone okno. Kierowca zbadał mnie wzrokiem i powiedział:

– Fajny kolorek, brachu.

Skinąłem głową. Podał mi skręta i powiedział:

– Taką bryczką to tylko na balangę.

Wziąłem, zaciągnąłem się mocno. Światła zmieniły się na zielone, kierowca ruszył z piskiem opon, wołając:

– Wyluzuj!

Blant dał mi kopa i zaćmił mi wzrok. O mało nie potrąciłem rowerzysty przy rondzie Elephant and Castle. Posłał mi wiązankę, a ja na to:

– Wyluzuj, bracie.

Gdy dojechałem do szpitala St. Thomas, zaparkowałem na miejscu przeznaczonym dla lekarzy. Podbiegł umundurowany strażnik i zawołał:

– Ej!

– Tak?

– To miejsce dla lekarzy.

– Jestem lekarzem.

– Co?

– Ile palisz? Jezu, człowieku, aleś ty blady, kiedy robiłeś ostatnio EKG?

– E...

– I przestań wcinać te burgery, bo pociągniesz najwyżej pół roku.

Minąłem go zamaszystym krokiem. Choć po tym blancie może było to bardziej wyminięcie go łagodnym łukiem.

Spotkałem Patela przed OIOM-em. Nie podał mi ręki, tylko warknął oskarżycielskim tonem:

– Jest pan upalony!

– No i co z tego?

– To chyba niewłaściwe.

– Czy Briony jest przytomna?

– Nie.

– Więc jakie to ma, kurwa, znaczenie?

Nie wiedziałem, że mam w sobie tyle wściekłości, dopóki nie dałem jej ujścia. Stary syndrom zabicia posłańca, który przynosi złą wiadomość.

– Zrobiliśmy jej płukanie żołądka, połknęła siedemdziesiąt jeden tabletek paracetamolu.

– Liczyliście je, tak?

Moja ślina wylądowała na jego białym fartuchu, miałem zaciśnięte pięści. Jeszcze chwila, a zacząłbym go nimi okładać. Zaczął się cofać i spytał:

– Chce ją pan zobaczyć?

– Zgadnij, kurwa.

Musiałem się ubrać specjalnie na OIOM:

fartuch

maska

ochraniacze na buty.

Czułem się jak zbędna postać w medicalu.

Briony wyglądała, jakby była martwa. Blada jak rozpacz. Oddychała za pomocą respiratora.

Wziąłem ją za rękę, pielęgniarka podała mi krzesło.

– Może pan do niej mówić – powiedziała.

– Usłyszy mnie?
– Może.
– Chyba po raz pierwszy.
– Słucham?
– Nigdy mnie nie słuchała.

Umarła po szóstej. Nie dotrwała do świtu. Później Patel zabrał mnie do swojego gabinetu i powiedział:

– Może pan zapalić.

– Dziękuję.

– Tak mi przykro.

– No tak.

– Darzyłem ją uczuciem…

– Tak. Doktorku, nie chcę o tym słuchać, dobra?

– Oczywiście.

Po załatwieniu papierkowej roboty lekarz powiedział:

– Pewnie chce ją pan pochować w grobie rodzinnym.

Wybuchnąłem śmiechem zaprawionym złośliwością.

– Grób rodzinny to pudełko po butach.

– Och.

Zwiesił głowę. Sięgnąłem po portfel, wyciągnąłem gruby zwitek banknotów, rzuciłem go na stół i powiedziałem:

– Spal ją. Czyż nie to robicie wy, Hindusi? Potem ustaw sobie prochy na kominku i wreszcie będzie twoja.

Gdy wychodziłem, spytał:

– A co z jej pieskiem?

– Stracił głowę, to u nas rodzinne.

Pielęgniarka w recepcji zawołała:

– Panie Mitchell?

– Tak?

– Bardzo mi przykro.

– Jasne.

– Chce pan jej płaszcz przeciwdeszczowy?

– Co?

– Była zawinięta w płaszcz... chce go pan zabrać?

Obrzuciłem ją długim spojrzeniem.

– Była takiej budowy jak pani, może go pani sobie wziąć.

Gdy odwróciłem się do wyjścia, powiedziała:

– To Gant.

– Co?

– Płaszcz, jest marki Gant. To bardzo droga amerykańska firma.

Tego już było za wiele, więc tylko machnąłem ręką. Na zewnątrz próbowałem zapalić papierosa. Moje dłonie tańczyły fandango. Zrezygnowałem i ruszyłem w stronę samochodu.

Może to przez wydarzenia poprzednich dni, co ja mówię, poprzednich tygodni, narkotyki, alkohol albo szok spowodowany śmiercią Briony, a może jestem po prostu tępym skurwielem.

Tak czy siak, zapomniałem zapytać o dwie zasadnicze sprawy:

1) Kto znalazł Briony?

2) Kto przywiózł ją do szpitala?

Chciałem coś zniszczyć. Rzucić się na najbliższego człowieka.

Zobaczyłem, że zbliża się ten mundurowy. Skupiłem wzrok na jego wyświeconych spodniach.

Odzwierciedlały plwocinę z jego duszy. Cud pralni chemicznej jeszcze do niego nie dotarł. Skrzyżował ramiona na piersi i nic nie mówił. Dobra, pomyślałem. Pieprzę cię.

Doszedłem do bmw. Na przednim błotniku ktoś wydrapał wielkimi literami

HUJ

Odwróciłem się i wrzasnąłem:

– I ty niby jesteś strażnikiem?

– Czemu nie? Ty podobno jesteś lekarzem.

Szlag jasny mnie trafił. Szczególnie wkurzyło mnie to, że palant, który wydrapał napis, nie znał ortografii.

– I oczywiście nie masz pojęcia, kto to zrobił?

Wyszczerzył zęby w uśmiechu.

– Nie.

Nagle cała złość ze mnie wyparowała. Przestało mnie to obchodzić. Wsiadłem do samochodu i odjechałem. Wciąż mam przed oczami jego twarz skonsternowaną tym, że tak po prostu odpuściłem. Sam byłem tym skonsternowany.

Przez resztę dnia snułem się jak duch po pubach w południowo-wschodnim Londynie.

Piłem

ale z nikim nie rozmawiałem.

Później, przy Holland Park, zasnąłem w ubraniu. Po przebudzeniu zobaczyłem, że aktorka robi mi laskę. Przerwała i powiedziała:

– Nie martw się, kochanie, już niedługo.

Myślałem, że ma na myśli doprowadzenie mnie do orgazmu. Jak w większości wypadków, beznadziejnie się myliłem.

Następnego ranka ogoliłem się, wziąłem prysznic i włożyłem czyste ubranie.

Poczułem się bardziej świeżo, ale niewiele lepiej. Gdy fundowałem sobie podwójne uderzenie nikotynowo-kofeinowe, zadzwonił telefon.

– Tak? – powiedziałem.

Mitch.

– To ty, Jeff?

– Słuchaj, stary, wiadomość o Brie mnie naprawdę rąbnęła.

– Dzięki.

– Musimy pogadać.

– Dobra.

– O ósmej wieczorem w Charlie Chaplin.

– Będę.

Odłożyłem telefon, zastanawiając się, czy coś niedobrego się za tym nie kryje. Zaraz jednak odrzuciłem tę myśl. Nie... nie Jeff, to przecież mój kumpel. Znamy się od wieków.

Kiedy wyszedłem, zobaczyłem, że Jordan pielęgnuje ogród.

– Masz niezliczone talenty – zauważyłem.

Podniósł wzrok, ale nic nie odpowiedział. Podszedłem do bmw. Po rysie ani śladu.

– Nie mogłem na to pozwolić – wyjaśnił Jordan.
– Sam to naprawiłeś?
– Tak.
– Kurwa, świetna robota.
– Jak zwykle pan przesadza, panie Mitchell.

Moje plany małżeńskie wymagały posiadania aktu urodzenia i odwagi. Miałem to pierwsze i liczyłem na drugie. Na spotkanie z Jeffem włożyłem kurtkę od Gucciego. Zastanawiałem się, czy nie wziąć pistoletu, ale zrezygnowałem. Nie wziąłem też bmw. W południowo-wschodnim Londynie po chwili by zniknęło. Wezwałem taksówkę i powiedziałem do kierowcy:

– Charlie Chaplin przy Elephant.

Na początku się nie odzywał, a potem spytał:

– Wie pan, dlaczego ten pub tak się nazywa?
– Czuję, że zaraz się dowiem.
– Bo Charlie urodził się w Kennington.

Nic nie odpowiedziałem, żeby go nie zachęcać do dalszej gadki. Jednak on, niezrażony, po chwili ciągnął dalej:

– Wie pan, kto jeszcze tam mieszka?
– Nie.
– Greta Scacchi!
– O rany.

Gdy dojechaliśmy na miejsce, zapłaciłem mu i poradziłem:

– Powinien pan wystąpić w jakimś teleturnieju.
– Chce pan, żebym zaczekał?
– Nie, dziękuję.

Podał mi wizytówkę i powiedział:

– Proszę dzwonić o każdej porze.

Podarłem ją na strzępy, zanim dotarłem do pubu.

Jeff siedział przy barze, trzymając w ręku szklankę guinnessa.

– Długo czekasz? – spytałem.

– Nie.

– O co chodzi, Jeff?

Wziął głęboki oddech i odparł:

– Ten koleś, Kerrkovian, zniknął.

– Krzyżyk na drogę.

– No jasne, ale zniknął też chłopak.

– Jaki chłopak?

– Ten punk, na którego miałeś kosę.

– I co z tego?

– A to, że łaził z Kerrkovianem.

Napiłem się, skręciłem papierosa i powiedziałem:

– Wyduś to z siebie.

– Masz z tym coś wspólnego?

– Nie.

Dopił do końca, wstał i oświadczył:

– Ludzie lubili tego chłopaka. Chodzą słuchy, że go sprzątnąłeś.

– Bzdura.

– Wiesz, Mitch, jak już pochowasz siostrę, radzę ci trzymać się z dala od południowo-wschodniego Londynu.

Potrzebowałem chwili na przyswojenie wiadomości. Wreszcie spytałem:

– Grozisz mi?

– Przekazuję wiadomość.

Poczułem, że wszyscy mi dopieprzają. Odparłem:

– A to moja odpowiedź.

Zamachnąłem się szybko i walnąłem go pod brodą. Runął do tyłu na bar. Odwróciłem się na pięcie i wyszedłem z pubu.

Ani śladu taksówek. Przez chwilę miałem ochotę poskładać w całość podartą wizytówkę.

Nazajutrz rano prawa ręka bolała mnie jak skurczybyk. Kostki miałem skaleczone i napuchnięte. Umyłem rękę i polałem płynem odkażającym.

Czy szczypało?

Kurwa, ale jak. Rzuciłem butelkę, odchyliłem głowę i zawyłem jak pieprzony szaleniec.

Włożyłem garnitur i przejrzałem się w lustrze. Wyglądałem jak jakiś chłystek z pospólstwa. Byle kto bez kontaktów.

Zszedłem na dół do kuchni, poczułem ładne zapachy. Jordan stał przy kuchni.

– Głodny?

– Jak wilk.

Odsunąłem sobie krzesło, a on nalał mi gorącej kawy.

Zapach był cudowny. Aż się bałem zbadać smak. Jakże mógłby dorównać temu pierwszemu? Postawił przede mną talerz. Smażone jajka na chrupiącym bekonie. Nabrałem jedzenia, zagryzłem tostem posmarowanym grubo masłem. O rany, jak w dzieciństwie, którego nigdy się nie zaznało. Jordan też usiadł i wziął się do swojej porcji. Jadł jak jakiś demon, jakby miał w sobie ogień, którego nie może nasycić. Skończył szybko.

– Rany, potrzebowałeś tego – powiedziałem.

Skinął chłodno głową.

– Nie jesteś rannym ptaszkiem, co? – dodałem.

– Mam napięty grafik.

Wstał, podszedł do szuflady, wyjął grubą kopertę i powiedział:

– Nie odbierałeś pensji.

– Co?

– Jesteś wciąż zatrudniony.

Potem spojrzał na mnie, powoli, i dodał:

– Chyba że zamierzasz złożyć wymówienie?

Przemknęła mi myśl, by mu powiedzieć, że się stamtąd wynoszę, natychmiast. Ale powiedziałem:

– Oczywiście że nie.

Gdy pozmywał, powiedział:

– Pani i ja wyjedziemy na cały dzień w następny piątek. Czy mogę liczyć na to, że dopilnujesz domu?

– Za to mi płacicie. Co to ma być, jakaś gorąca randka?

– Pani udziela wywiadu „Hello", w ramach przygotowań do swego powrotu.

– Może nie mieć takiego farta.

– Nie wierzę w fart.

– Jasne że nie. A wierzysz w cokolwiek?

Był zaskoczony, odparł:

– W panią, wierzę tylko w panią.

Tak jak wcześniej, mówił mi dokładnie, jak jest. Jak zwykle nie słuchałem wystarczająco uważnie.

Pojechałem na Kensington High Street. Pomimo koloru bmw, uwielbiałem tę brykę. Od razu udałem się do urzędu stanu cywilnego. Za dziesięć dni mieliśmy zostać małżeństwem.

By to uczcić, poszedłem do Waterstone i kupiłem *The Devil's Home on Leave* Dereka Raymonda.

Pasowało.

Potem wszedłem do kawiarni i zamówiłem duże cappuccino, bez posypki. Zająłem wygodne miejsce przy oknie i zacząłem czytać.

Po chwili odłożyłem książkę i sącząc kawę, myślałem o Briony. Gdy była małą dziewczynką, mawiała:

– Będziesz na mnie uważał, Mitch?

Obiecywałem jej to z całą pustą mocą i szczerością siedmiolatka.

Wstałem szybko i wyszedłem, pojechałem do Aisling.

Derek Raymond powiedział, że jak śni ci się deszcz, oznacza to śmierć. Teraz padało. Briony, gdy miała dwanaście lat, powiedziała, płacząc:

– Stałam w śniegu, bez ubrania, by popatrzeć na ciebie.

Ech.

Dopiero później uświadomiłem sobie, że zostawiłem Dereka Raymonda przy oknie na High Street Kensington. Może mu się tam spodobało, słuchanie deszczu, intensywny aromat świeżo parzonej kawy.

Popołudnie spędziłem w łóżku z Aisling. Później spytałem:

– Dobrze było?

– Hm.

– Co?

– Żartuję, było magicznie. Chcę po prostu leżeć tutaj i czuć się jak kot, który dostał śmietankę.

Deszcz bębnił w dach.

– Dobrze, że jesteśmy teraz w domu – powiedziałem.

– I jeszcze lepiej, że jesteśmy ze sobą.

I o co tu się spierać.

Aisling uniosła prawą dłoń do światła i spytała:

– Widzisz, jak mój pierścionek odbija światło?

– Tak?

– Zauważyłeś czubek serduszka?

Spojrzałem. Małe złote serduszko. I co z nim?

– I co z nim? – spytałem.

– Jest ukruszony.

Usiadłem.

– Żartujesz. Skopię Chrisowi tyłek.

– Nie, nie... podoba mi się takie, jakie jest. To właśnie doskonałe, że ma małą skazę.

– Co?

– Skaza czyni je idealnym.

Nie kumałem, o co w tym chodzi.

– Czy to takie irlandzkie podejście?

Roześmiała się głośno.

– Nie, babskie.

– Jasne!

Wziąłem ją w ramiona, czułem bicie jej serca na swoim torsie. Omal nie powiedziałem: kocham cię.

Zanim mój mózg zsynchronizowany z językiem niemal wypuścił słowa, których nigdy nie używałem, powiedziała:

– Zrobisz coś dla mnie?

– Postaram się, najlepiej jak umiem.

– Peter Gabriel ma piosenkę pod tytułem *I Grieve.*

– I?

Wysłuchasz jej ze mną?

– Co... teraz?

– Tak.

– Okej… ale… jesteś nieszczęśliwa?

– To najlepsza chwila mojego życia.

– Ech, no to dawaj tego Petera.

Gdy słuchaliśmy, trzymała moją rękę w obu dłoniach, twarz miała skupioną. Nie miałem nic do Petera Gabriela, właściwie nawet lubiłem bardzo *Biko*, ale tu nie pasowało. Smutek i ból w jego głosie oraz same słowa sprawiają, że sięgasz po zabójczego scotcha. Wreszcie skończył, a ona odwróciła do mnie twarz, niezwykle przejęta.

– O, to jest bardzo irlandzkie – powiedziałem.

Wróciłem do Holland Park we wtorek wieczorem. Obejrzałem *South Park* i uznałem, że nie miałbym nic przeciwko zaadoptowaniu Kenny'ego.

W moim drzwiach zjawiła się aktorka.

– Mogę ci złożyć wizytę? – spytała.

– Mam lekką zwałkę, Lillian.

– Jak po waleniu konia?

Bardziej, niż jej się zdawało. W lewym ręku trzymała butelkę i dwa kieliszki. Trzymała je za szyjkę, jak to robią w filmach.

Cofam to: jak w *starych* filmach.

– Czy dziewczyna może postawić swojemu chłopakowi drinka? – spytała.

Jezu!

– Może jeden mały przed snem – odparłem.

Podała mi flaszkę i wyjaśniła:

– To dom perignon.

– Wszystko jedno.

Wystrzeliłem nieźle korek. Obowiązkowo większość szampana znalazła się na podłodze. Ludzie uważają to chyba za część transakcji. Jakiejś transakcji.

Lillian miała na sobie srebrną suknię balową. Nie żartuję – tak mi powiedziała.

– Dlaczego? – spytałem.

– Pomyślałam, że taniec w sali balowej to będzie miła odmiana.

– Wynajęłaś zespół?

– Orkiestrę.

Spojrzałem na jej twarz.

– Mogę jedynie żywić nadzieję, że żartujesz.

Przebiegły uśmiech, a potem odpowiedź:

– Nie uznaję żartów.

– Czy siedzą skuleni w korytarzu?

Wskazałem swój pokój i dodałem:

– Będzie niezły ścisk.

– Są w sali balowej.

Nie zapytałem, gdzie się ona znajduje, ale pomyślałem: czy ten dom jest tak kurewsko wielki?

Nigdy nie obejrzałem całego domu, więc jak przyjdzie piątek i będą się „Hello"-wać, oblecę go jak jakiś derwisz. Tak, trzeba potrząsnąć gałęzie, zobaczyć, co spadnie.

Stuknęliśmy się kieliszkami, a ja powiedziałem:

– *Sláinte.*

– Po jakiemu to? – spytała.

– Po irlandzku.

Wzdrygnęła się z udawanym niesmakiem i mruknęła:

– Naród błaznów i bajerantów.

– Jakaś ty angielska.

Przysunęła się bliżej i powiedziała:

– Pozwól, że zajmę się tobą po francusku.

Pozwoliłem. Jej perfumy przypominały kulki z naftaliny w chlorze. Może to przez szampana, ale doszedłem. Wprawdzie w niezbyt spektakularny sposób z powodu wyczynów z Aisling, była to raczej smętna mżawka. Jak deszcz, który pada na Krecie.

Ocierając usta, zauważyła:

– W tym ołóweczku brakuje grafitu.

– Wykończyłaś mnie – odparłem. – Nie ma mowy, żebym dał radę tańczyć.

Kupiła ten tekst i powiedziała:

– Zatańczymy jutro, a teraz śpij, mój słodki.

Gdy wyszła, wziąłem gorący prysznic, ale nie mogłem wyzwolić się od jej dotyku. W łóżku próbowałem myśleć o Aisling i nie myśleć o Briony.

Ani jedno, ani drugie się nie powiodło.

Zadzwoniono w środę o czternastej. Odebrałem telefon, powiedziałem: tak?, na co usłyszałem:

– Pan Mitchell?

To była policja.

– Czy zna pan Aisling Dwyer?

– Tak.

– Z żalem muszę pana poinformować, że zdarzył się tragiczny wypadek.

– Co?

– W jej torebce była kartka z pana telefonem i nazwiskiem.

– Jak ona się czuje

gdzie,

kiedy,

o Boże.

Dostałem adres szpitala w Islington i tam pojechałem.

Nawet nie pamiętam sekwencji zdarzeń. Tylko to, że nie żyła, bo została potrącona na High Street przez kierowcę, który zbiegł z miejsca wypadku. Jakiś człowiek pochylił się nad nią, trzymał za rękę aż do przyjazdu karetki. Później ktoś dał mi kawę. Smakowała jak piana. Potem wręczono mi „brązową kopertę". Jej rzeczy.

Były tam

pieniądze

torebka
karta telefoniczna
zegarek
brak pierścionka.

Musiała zostawić go w domu. Byłem zdziwiony, że go zdjęła.

Wczesnym rankiem w czwartek rano pojechałem do domu. Upiłem się do nieprzytomności.

Wstałem około południa w piątek. Jezu, ależ byłem roztrzęsiony. Palce mi latały, gdy próbowałem skręcić papierosa. Pot ściekał mi z czoła i szczypał w oczy. Wiedziałem, że strzał ze scotcha by mi pomógł, ale czybym poprzestał na tym jednym?

Nie, kurwa.

Poszedłem do lodówki, wyjąłem piwo. Foster's.

Kiedy je kupiłem, albo co gorsza... dlaczego?

Zerwałem pierścień, wypiłem całe. Ściekało mi po brodzie, mocząc mój przepocony T-shirt. Potem, à la Richard Dreyfuss w *Szczękach*, zgniotłem puszkę i ją cisnąłem.

Piwo trochę pomogło. Wziąłem prysznic, ogoliłem się, przebrałem w białą koszulę, czyste czarne dżinsy. Zaryzykowałem spojrzenie w lustro.

Jak jakiś zmarnowany kelner.

Okej, czas na paszę.

Dom był pogrążony w ciszy, naprawdę wyjechali. Unikałem pokoju Lillian. Był mi aż nazbyt dobrze znany. Trochę czasu zabrało mi zlokalizowanie pokoju Jordana. Wiedziałem, że to musi być jego pokój, bo zastałem drzwi zamknięte. Zaparłem się o przeciwległą ścianę i wyważyłem drzwi kopniakiem. Prawie wyleciały z zawiasów.

Wszedłem ostrożnie do środka – spodziewając się jakichś pułapek.

Pokój był spartański, z łóżkiem polowym w stylu wojskowym zasłanym równo jak stół.

Najpierw przeszukałem szafy. Kilka czarnych garniturów, czarne buty i białe koszule. Na górnej półce stało pudełko po butach, w którym leżał casull .454. Ciężki gnat. Niezbyt łatwo nim wcelować, ale potrafi zrobić niezłą dziurę nawet w słoniu. Włożyłem go ostrożnie za pasek spodni nad tyłkiem. Jeszcze trzy szuflady. W pierwszej była nieskazitelnie czysta bielizna. W drugiej leżały stare programy teatralne, wszystkie z Lillian, oczywiście.

Wreszcie mnóstwo skarpetek, włożyłem między nie rękę. Wyjąłem obrożę psa.

– Co jest? – powiedziałem.

Była na niej zakrzepła krew i imię. Bartley-Jack.

Zanim zdążyłem zareagować, drugą ręką namacałem pierścionek. Podniosłem go do światła, na sercu ukazała się rysa, którą ona tak podziwiała. Usiadłem na łóżku, miałem gonitwę myśli.

Myślę, że musiałem wydawać z siebie niemal niesłyszalne dźwięki. Tak się zdarza, gdy ludzie w potwornym stresie mówią do siebie, nie zdając sobie z tego sprawy. Wszyscy tak robią, ale niektórzy mają do tego skłonności. Ja nigdy nie byłem bardziej skłonny tego robić niż teraz. Dźwięk był niemal niesłyszalny. Kiedyś nazywano to „myśli w gardle". Oczywiście, im większy stres, tym głośniejszy dźwięk. Mnie było słychać.

Głos powiedział:

– Teraz wszystko jasne.

Jordan stał oparty o roztrzaskane drzwi, z ramionami skrzyżowanymi na torsie. Dopiero po chwili zdołałem z siebie wydusić:

– Zabiłeś ich wszystkich...

Briony

psa

Aisling?

Skinął głową.

– Jezu, *wszystkich*?

– Przeszkody.

– Co?!

– Dla Lillian.

– Jesteś pieprzonym psycholem.

– Jakież to banalne i zupełnie przewidywalne.

Strzeliłem mu w brzuch.

To podobno najgorszy ból na świecie. Osunął się na ziemię. Widać było, że zgadza się z tą opinią. Przeszedłem nad nim, a on chwycił mnie za kostkę i powiedział:

– Dokończ to.

– Pierdol się. – Kopnąłem go w jaja. Żeby bardziej bolało.

Lillian siedziała na łóżku, z różowym szalem narzuconym na ramiona.

Uśmiechnęła się i spytała:

– Co to za hałasy, kochanie?

– To sprawka kamerdynera.

Leniwie wycelowałem w nią pistolet, a ona powiedziała z rozdrażnieniem:

– Ależ głuptasie, niby jak mam na to zareagować?

Moja kolej na uśmiech.

– Jesteś aktorką. Spróbuj udawać przestraszoną.